Korean

Prod No.:	**95089**
Date:	**12/05/17**
Title:	**Why Don't Fish Drown**
Supplier:	**Imago Publishing Ltd**
t.p.s:	264 x 190mm (upright)
extent:	96 pages illustrations, captions and integrated text printed 4/4
paper:	120gsm uncoated paper throughout
PLC:	Print in 4 colours (CMYK) from PDF files supplied on 128gsm gloss art paper. All to be matt laminated one-side only
PLC:	Prints 4/0 (CMYK) on 128gsm glossy art paper, grain parallel to the spine and matt lamination on one side only
binding PLC:	Thread sew in 16p sections. 140gsm woodfree endpapers printed 1/1 from pdf supplied + varnish in Pantone 116 U, yellow. First and second lined, square back, cased with PLC over 3mm greyboards. Boards to be cut-flush on 3 sides with exposed edges.

¿POR QUÉ los PECES no se AHOGAN?

y otras preguntas fundamentales sobre el reino animal

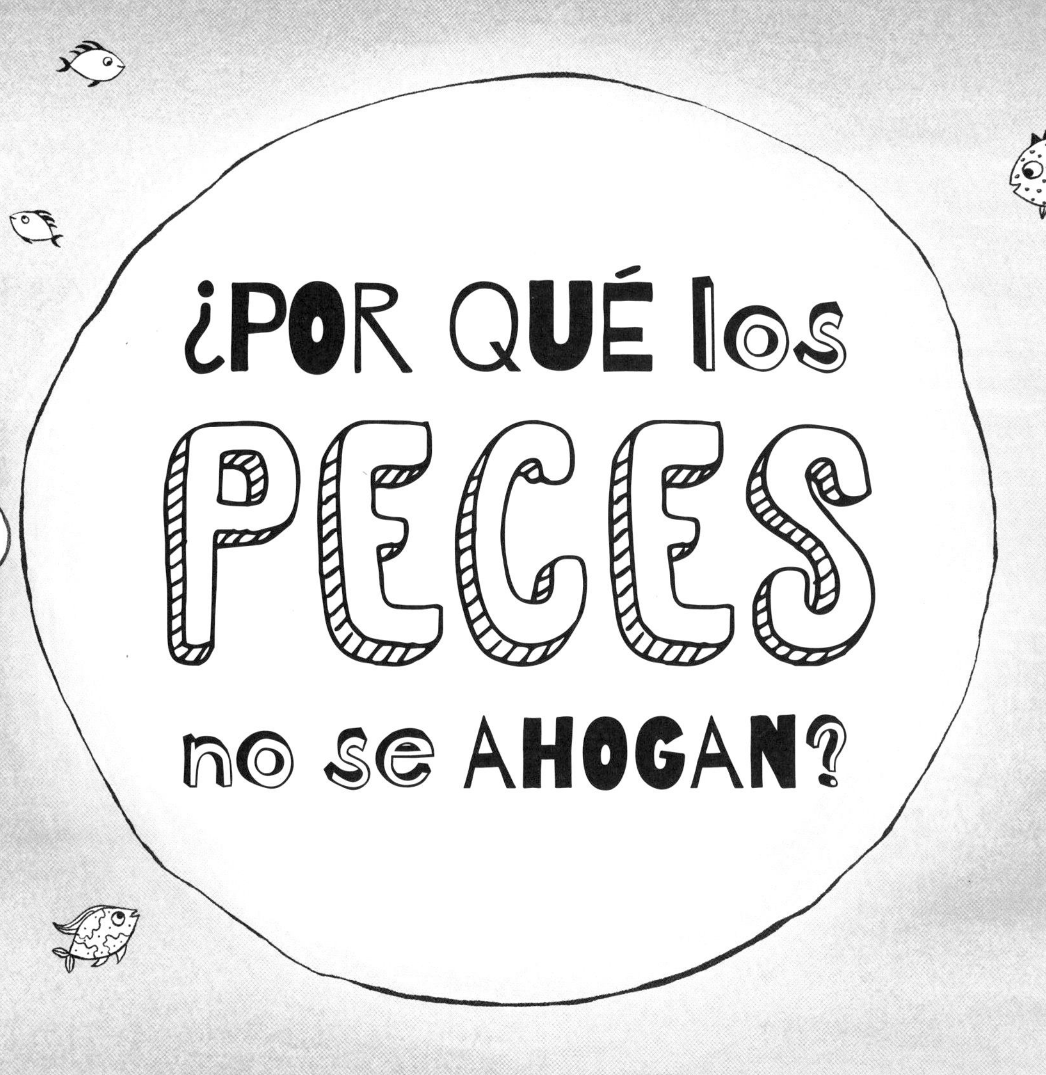

y otras preguntas
fundamentales
sobre el
reino animal

Escrito por **Anna Claybourne**

Con ilustraciones originales de **Claire Goble**

Librooks

SUMARIO

PARA EMPEZAR, ¿QUÉ ES UN ANIMAL?

Todos reconocemos a un animal cuando vemos uno. Pero, ¿qué distingue a los animales de las plantas y otras cosas como las rocas y los minerales?

Los animales y las plantas son seres vivos. Pueden moverse, crecer y percibir su entorno. Pero, a diferencia de las plantas, que crecen aprovechando la luz del sol, los animales comen alimentos, ya sean plantas u otros animales. Los animales también se desplazan corriendo, volando, nadando o reptando, mientras que las plantas permanecen en un lugar.

Durante miles de años, las personas han observado los animales que tenían a su alrededor y se han planteado todo tipo de preguntas sobre ellos. ¿Por qué no podemos volar como los pájaros? ¿Cómo pueden ver los gatos en la oscuridad? Cuando los animales ladran, cantan o mugen, ¿están hablando entre ellos? Si quieres descubrirlo, ¡sigue leyendo!

¿Han existido siempre los animales?

Los animales llevan viviendo en nuestro planeta MUCHO más tiempo que los humanos. Aparecieron por primera vez en la Tierra hace más de 500 millones de años. Los científicos creen que los animales más antiguos eran bichos repugnantes parecidos a los gusanos o los insectos que vivían en el mar. Poco a poco fueron evolucionando hacia los millones de animales distintos que podemos ver hoy a nuestro alrededor.

Aspecto que tendría un fósil del yacimiento de las lutitas de Burgess

¿Qué tipos de animales hay?

Los animales se pueden dividir en dos tipos o grupos principales. Los invertebrados son animales que no tienen columna vertebral, como los insectos y arañas, babosas, pulpos y medusas. Los vertebrados tienen columna vertebral y por lo general también esqueleto. Incluyen cinco tipos de animales principales: peces, reptiles (como serpientes y cocodrilos), anfibios (como ranas y sapos), aves y mamíferos.

Grupo de ranas. Artista desconocido, *c.* 1851

Y los humanos, ¿también somos animales?

Desde luego. Los humanos tenemos columna vertebral, por lo tanto pertenecemos al grupo de animales vertebrados. Somos mamíferos, al igual que muchos de los animales con los que estamos más familiarizados como perros y gatos, caballos, delfines y elefantes. Aunque nuestros parientes más cercanos son los simios: animales como los gorilas, orangutanes y chimpancés. Echa un vistazo a sus caras, manos y pies y verás qué parecidos somos.

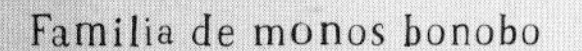

Familia de monos bonobo

¿Quién ELIGE los NOMBRES de los ANIMALES?

Si descubres un nuevo tipo de animal, ¡le puedes poner el nombre que TÚ quieras!

Esto no solo significa que puedes llamarlo Marsupilami, Peludito o Pepe (¡aunque también puedes hacerlo!). Significa que puedes darle a ese tipo o especie animal su **nombre científico en latín**. De este modo, aunque hablen lenguas distintas, los zoólogos de todo el mundo siempre pueden utilizar el **nombre en latín** para dejar claro de qué animal están hablando.

OBSERVA

el increíble trasero dorado de esta mosca

Cada especie recibe un **nombre único**, formado por dos palabras. Los nombres se escriben en latín, una **lengua antigua** que ya no se habla.

A veces los animales reciben el nombre de la **persona que los descubrió** o de alguien famoso. Por ejemplo, en 2011, una especie de mosca fue bautizada como *Scaptia beyonceae* en honor a la cantante Beyoncé.

Mosca *Scaptia beyonceae*

Los animales se pueden clasificar en familias estrechamente relacionadas, como los felinos, por ejemplo. Los tigres, los leones, los guepardos y los gatos forman parte de esta familia y, aunque tienen tamaños muy distintos, son todos muy similares.

Pero, ¿sabías que en realidad TODOS los animales están relacionados? Puede que los chimpancés y los gorilas sean nuestros primos más cercanos, pero los gatos, los cocodrilos, los avestruces, las langostas y las cochinillas también son parientes nuestros. Los científicos creen que todos evolucionamos o nos desarrollamos con el tiempo a partir de la primera forma de vida simple, o sea que básicamente somos todos una misma familia.

Fiesta del té con armiños. Plocquet y Guttart, 1851

¿CÓMO TE LLAMAS?

Los nombres en latín pueden sonar a chino, pero a menudo se eligen para describir las características del animal. El nombre científico de la ballena jorobada es *Megaptera novaeangliae*, que literalmente significa «Grandes alas de Nueva Inglaterra». Sus «alas» son sus enormes aletas, que utiliza para deslizarse por el mar como si estuviera volando. ¿Y qué decir de *Ailuropoda melanoleuca*? Pues que significa «Pie de gato, negro y blanco». Se trata del panda gigante. En cuanto al *Homo sapiens*, ¡ese eres tú! Significa «humano que sabe» o «humano inteligente».

Panda gigante sacando la lengua

EL GRAN DESCONOCIDO

Ya conocemos miles de especies animales, pero los científicos siguen encontrando otras nuevas cada día. Suelen ser animales pequeños, como escarabajos y gusanos, aunque a veces encuentran algo más grande, como el tapir negrito o enano, descubierto en 2013. Antes de anunciar su descubrimiento, los científicos tienen que estudiar el animal minuciosamente para estar seguros de que realmente es una especie nueva y desconocida.

El tapir negrito o enano, recientemente descubierto

¿De dónde VIENEN los ANIMALES?

Si la vida empezó con un solo tipo de ser vivo, ¿por qué ahora hay millones?

El motivo es la **evolución**, la manera como las especies vivas van **cambiando con el tiempo**. A medida que los animales se desplazan, su territorio se extiende y empiezan a vivir en distintos lugares o hábitats. Todos los animales son ligeramente diferentes, incluso siendo de la misma especie. Los que se adaptan mejor a un hábitat concreto son los que sobreviven más tiempo allí. Tienen más crías y les transmiten sus características. Así, poco a poco, las especies se vuelven **más aptas para sus hábitats** y se diferencian cada vez más unas de otras.

Por eso en el mar hay rápidos tiburones con forma de torpedo, con aletas y branquias, mientras que en la selva puedes encontrar monos con manos y colas prensiles para agarrarse a las ramas. Y, aunque **sucede gradualmente**, los animales siguen evolucionando y cambiando en la actualidad. Por ejemplo, los científicos han descubierto que algunos tipos de ratas están evolucionando para volverse inmunes a los raticidas.

Lagarto camuflado

¿POR QUÉ NECESITAMOS A LOS ANIMALES?

El mundo con sus plantas, animales, humanos y otros seres vivos conforman un ecosistema. Esto quiere decir que trabajan juntos como un todo. Cada ser vivo provee de alimentos a los demás y ayuda a equilibrar el sistema.

Los insectos, por ejemplo, esparcen el polen entre las plantas, lo que ayuda a las plantas a dar semillas y frutos. Los gusanos escarban la tierra, lo que hace que esta se separe y favorece el crecimiento de los cultivos. Los animales que cazan como los murciélagos contribuyen a reducir el número de animales dañinos, como los mosquitos. Si no existieran los animales, ¡todo funcionaría terriblemente mal!

Abejas obreras dentro de su colmena

¿DE QUÉ SIRVEN LOS MOSQUITOS?

Para los humanos, los mosquitos son un fastidio. Nos hacen daño con sus picaduras y transmiten enfermedades mortales como la malaria. Sin embargo, los animales no existen para ser útiles. Simplemente existen porque han encontrado una manera de sobrevivir y seguir existiendo.

Si hay un lugar donde vivir y alimentos para comer, una especie puede evolucionar para ocupar este «nicho» o lugar en el ecosistema. En el caso de los mosquitos, esto significa vivir en lugares donde hay mucha presencia humana y a veces aprovecharse de nuestra sangre. ¡Ay!

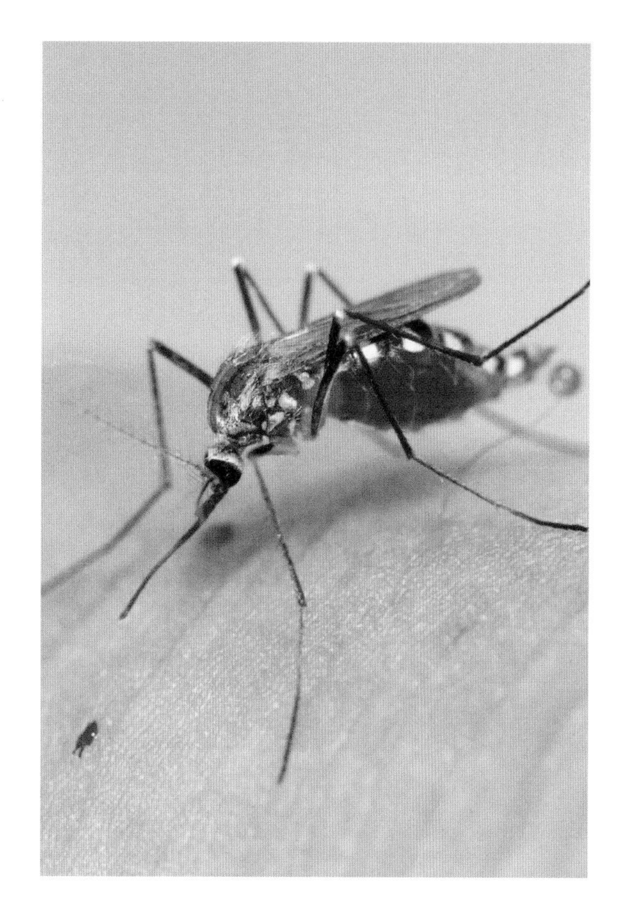

Mosquito de la fiebre amarilla picando a un humano

INSECTOS S.A.

Hasta ahora, hemos descubierto aproximadamente 1,2 millones de especies animales, y cerca del 80% de ellos son insectos. Los insectos son unos verdaderos genios cuando se trata de sobrevivir en todo tipo de lugares y poblar cualquier lugar en la Tierra. Pero, ¿cómo lo hacen?

Al ser pequeños, los insectos no necesitan mucha comida. La mayoría de insectos vuelan y muchos pueden morder y picar, lo que les ayuda a escapar del peligro. Varios tipos de insectos, como las hormigas y las abejas, viven en grandes colonias y se cuidan entre ellos. Si sumamos todo esto, podemos decir que los insectos son los grandes supervivientes del mundo animal.

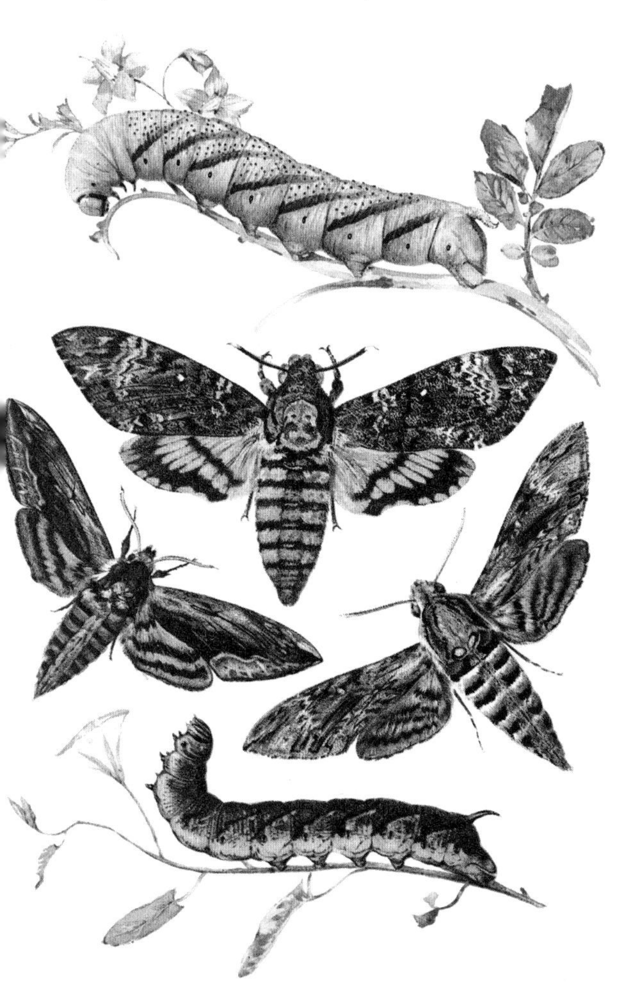

Orugas y polillas. Artista desconocido, *c.* 1850

¿Por qué los HUMANOS NO TENEMOS COLA?

Los gatos, las ratas y los monos tienen cola, ¿por qué TÚ no?

En realidad, ¡los humanos sí que tenemos cola! Normalmente no se ve, pero si observamos un esqueleto humano, veremos una pequeña parte con forma de cola al final de la columna vertebral. Se llama **coxis**. Si no podemos utilizar nuestro coxis, ¿entonces de qué sirve? Está ahí porque los **humanos evolucionaron** a partir de animales que sí que tenían cola.

A lo largo de muchas generaciones y millones de años, las especies animales evolucionan o **cambian muy lentamente**.

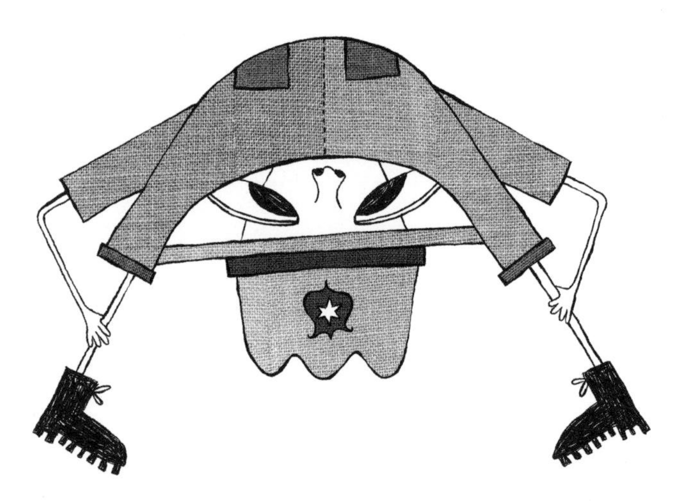

Los humanos evolucionaron a partir de criaturas similares a los monos, que vivían en los árboles y trepaban con la ayuda de la cola. Cuando nuestros antepasados empezaron a caminar por el suelo y dejaron de necesitar la cola para agarrarse a las ramas, poco a poco se volvió más pequeña. El coxis humano es un **«vestigio»** que ya no necesitamos.

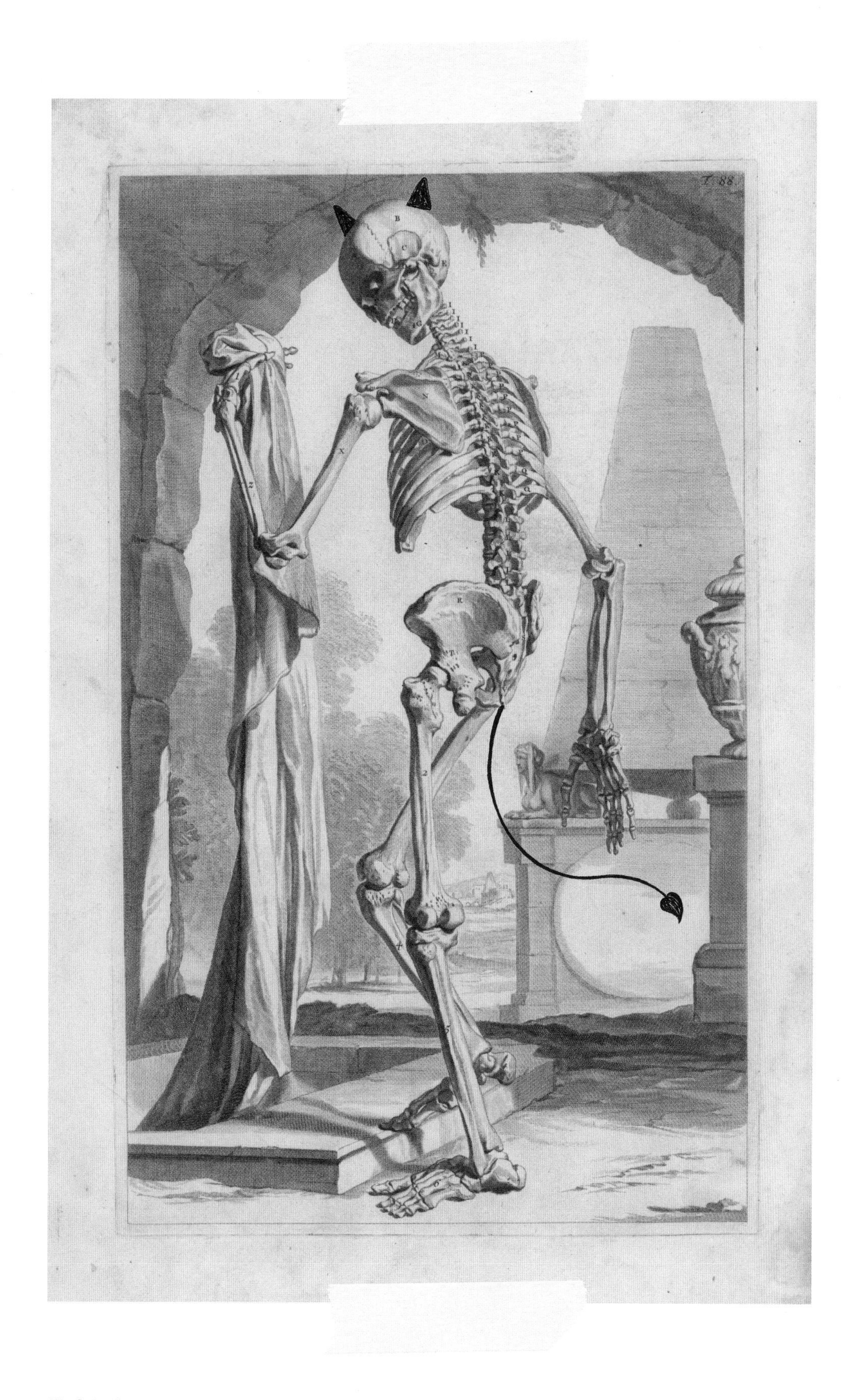

Modelo de un esqueleto. Pieter van Gunst, según Gerard de Lairesse, 1685

Estos dos animales parecen idénticos, pero pertenecen a familias completamente distintas. La ardilla voladora del sur, procedente de América del Norte, está emparentada con las ratas. El petauro del azúcar, de Australia, está emparentado con los canguros. Entonces, ¿cómo es que se parecen tanto?

Cuando los animales evolucionan, cambian para adaptarse a su entorno. Estos dos animales viven en las copas de los árboles y han desarrollado la habilidad de planear entre ellas desplegando la piel que tienen bajo su cuerpo. Y ¡tacháaaan!... ¡coinciden!

Ardilla voladora (arriba), petauro del azúcar (abajo)

¡VAYA PEDAZO DE CUELLO!

Las jirafas evolucionaron a partir de animales parecidos al venado con cuello corto. Las primeras jirafas tenían que comer las hojas de los árboles, y las que tenían el cuello más largo podían llegar a más comida. Así empezaron a gozar de mejor salud, vivir más tiempo y tener más crías. Cuando los animales tienen crías, les transmiten sus características. De este modo nacieron jirafas con el cuello más largo. Poco a poco, las jirafas evolucionaron hasta tener un cuello 10 veces más largo que el de sus ancestros.

Jirafa. Artista desconocido, *c.* 1850

COMO ABEJA DE FLOR EN FLOR

Cuando las abejas zumban de flor en flor, recolectan polen como alimento para las larvas de abeja. El polen se adhiere a su cuerpo y lo sacuden en la siguiente flor. Si la flor es de la misma especie, puede usar el polen para producir semillas que se convertirán en nuevas plantas.

Con el tiempo, las flores han fabricado más cantidad de polen para atraer a las abejas y las abejas han desarrollado cuerpos peludos para facilitar que el polen se adhiera. Las flores y las abejas han evolucionado juntas para ayudarse mutuamente a sobrevivir.

Abejorro recolectando polen pegajoso de una flor

¿Adónde FUERON los DINOSAUROS?

Los dinosaurios eran animales ALUCINANTES, a menudo enormes, que vivieron en la época prehistórica.

Sería genial si hoy en día todavía pudiéramos ver dinosaurios paseando, pero por desgracia no podemos. La razón es que hace unos 66 millones de años, desaparecieron y **se extinguieron**. Cuando un animal está extinguido, significa que la especie ya no existe.

¿QUÉ crees que comería este dinosaurio para almorzar?

Los científicos creen que los dinosaurios desaparecieron debido al impacto de un enorme **asteroide** contra la Tierra. Esto llenó el cielo de ceniza y polvo durante mucho tiempo, bloqueando la luz del sol y dificultando el crecimiento de las plantas. Los grandes dinosaurios herbívoros murieron de hambre, y también los dinosaurios carnívoros que se alimentaban de ellos.

Pero los dinosaurios no son los únicos animales que se han extinguido. Muchas otras especies desaparecieron al mismo tiempo, y una especie puede extinguirse en cualquier momento si pierde su **fuente de alimentación** o el **hábitat** que necesita para vivir.

Diplodocus

Sabemos muchas cosas sobre los dinosaurios, aunque no hemos visto nunca ninguno, gracias a los fósiles. Un fósil es una forma o huella de un ser vivo, conservada en la roca.

Los fósiles se pueden formar tras la muerte de un animal. Las partes blandas se descomponen, pero las partes más duras (como huesos y picos) duran más. A veces, quedan cubiertas de barro, arena o sedimento, que poco a poco se aplastan y se convierten en piedra dura. En su interior, los huesos se rompen lentamente y son sustituidos por minerales con la misma forma.

Fósil de amonita

SU ÚLTIMA OPORTUNIDAD

Muchas de las especies animales que están vivas hoy, como este tigre, están amenazadas, es decir, están en peligro de desaparecer y extinguirse. A menudo es culpa de los humanos, que se han dedicado a talar bosques para convertirlos en tierras cultivables o a cazar animales por su piel y otras partes del cuerpo.

Estamos intentando reducir estos problemas manteniendo algunas áreas como reservas naturales, limitando la contaminación y creando leyes para prohibir la caza de animales amenazados.

Tigre de Sumatra

¿SE EXTINGUIRÁN LOS HUMANOS?

¡Es una buena pregunta! No lo sabemos, pero el pasado puede darnos algunas pistas. Si observamos las especies que han existido antes, los mamíferos como nosotros suelen vivir entre 1 y 10 millones de años antes de extinguirse. Las criaturas semejantes a los humanos llevan existiendo 2 millones de años. Así que, con un poco de suerte, todavía nos quedan muchos años en la Tierra, aunque probablemente a la larga desapareceremos. Por otro lado, somos bastante inteligentes, o sea que quizá encontremos la manera de evitarlo.

Reproducción de un Neandertal

¿PODRÍA volverse VEGANO MI GATO?

Los humanos somos los únicos animales que elegimos qué tipo de alimento comemos.

La mayoría siguen sus instintos. Quizá cuando ves una polilla atrapada en una telaraña, esperando a que se la meriende una araña, te dé pena, pero todos los animales tienen que comer. Algunos, llamados **herbívoros**, se alimentan de plantas, y otros, llamados **carnívoros**, comen carne, es decir, otros animales. La mayoría de humanos somos **omnívoros**, lo que significa que comemos plantas y animales (a menos que seamos vegetarianos, claro).

Gatos representando las cincuenta y tres estaciones de Tōkaidō. Utagawa Kuniyoshi, 1850

Cada especie animal ha evolucionado para comer un tipo de alimento particular, y tiene características que se lo facilitan. Por ejemplo, las arañas tejen **instintivamente** telarañas y tienen una potente mordedura que les permite matar a su presa. Los gatos tienen un instinto para cazar y abalanzarse sobre animales pequeños y escurridizos, y atraparlos con sus afiladas zarpas y dientes. Un elefante, por su parte, tiene unos dientes grandes y planos para masticar hojas, ramitas y frutas, su comida favorita.

UNA MUERTE ÚTIL

Si lo piensas, los animales llevan muriendo 500 millones de años, desde que empezaron a existir. Entonces, ¿dónde están todos? A estas alturas ya deberían estar amontonados por todas partes. Por suerte, eso no sucede, porque cuando un animal muere, su cuerpo se descompone y es utilizado como alimento por otros organismos vivos, como hormigas y moscas, bacterias, moho y setas. Lo que queda se pudre en la tierra y ayuda a las plantas a crecer. Así pues, la energía del animal muerto vuelve al inicio del ciclo vital y se aprovecha de nuevo.

Guirnalda de frutas y flores.
Jan Davidsz de Heem.
1660-1670

A medida que las plantas crecen, absorben energía en forma de luz solar y almacenan energía química (las calorías almacenadas en la materia vegetal). Cuando un animal se come las plantas, la energía pasa al cuerpo de este animal, el cual la utiliza para hacer cosas como moverse y respirar. Si otro animal se lo come, entonces la energía se transferirá a este último. La secuencia de los seres vivos comiéndose entre ellos se llama cadena alimentaria. La energía se mueve o fluye a través de la cadena alimentaria. ¡Es el ciclo de la vida!

La cadena alimentaria

EL ÁRBOL DE LA VIDA

Si las plantas dejaran de existir, los animales que dependen de ellas para alimentarse también desaparecerían. Y los animales carnívoros también estarían en peligro, ya que se alimentan de animales que comen plantas. De hecho, las plantas son en buena parte la base de la vida en la Tierra. Esto es así porque en lugar de comer, las plantas aprovechan la energía lumínica del sol para crecer. Así se crea la materia vegetal, como hojas, flores, frutos, granos y semillas, de la que viven los animales. Si no fuera por las plantas, ¡estaríamos acabados!

Orugas comiendo una hoja

¿POR QUÉ los TIBURONES tienen los DIENTES tan GRANDES?

Este gran tiburón blanco da bastante miedo, sobre todo por sus hileras de ENORMES dientes afilados como cuchillas.

Todos los tiburones son **depredadores**, es decir, se alimentan de otros animales. A los animales que comen se los llama **presas**. Los depredadores tienen que cazar y agarrar sus alimentos, por eso sus cuerpos están dotados de **herramientas** para atrapar y matar a su siguiente bocado. Pueden ser grandes dientes, poderosas mandíbulas o garras afiladas. En el caso de los tiburones, los dientes son una parte especialmente importante.

Gran tiburón blanco cazando una foca

Un tiburón **no tiene unas enormes zarpas** o pinzas para sujetar a los escurridizos peces o las inquietas focas, así que utiliza sus **dientes como agarre**. Los dientes del tiburón se hunden en su presa, impidiendo que se escape. Después el tiburón puede devorarla y engullirla lo antes posible.

No todos los tiburones tienen los dientes grandes. Un tiburón ballena no necesita morder a su presa. Se mueve lentamente por el agua, capturando pequeñas criaturas que se filtran a través de sus branquias parecidas a un colador.

¿Por qué los animales no se cepillan los dientes?

Ve a la página 40

LOS CONEJOS VEN PANORÁMICAMENTE

Si observamos a un depredador, como el tigre, veremos que sus ojos miran hacia delante. Pero a menudo los animales de presa, como los conejos, tienen los ojos a ambos lados de la cabeza. Sus ojos apuntan en distintas direcciones, lo que les proporciona un campo de visión muy amplio. Un conejo puede ver de frente, lateralmente e incluso un poco hacia atrás, y así puede detectar a los depredadores que se acercan. Por eso es tan difícil acercarse a un conejo silvestre sin que salga corriendo y se esconda.

Lo que ven los ojos de un conejo

UNA COMIDA PUTREFACTA

Los buitres son carroñeros, lo que significa que se alimentan de restos de comida en descomposición. Un buitre es capaz de oler el cuerpo putrefacto de un animal muerto a 2 km de distancia. Si nosotros comiéramos alimentos en mal estado, sufriríamos una terrible intoxicación alimentaria, pero el estómago de un buitre está lleno de un ácido fuerte que mata la mayoría de gérmenes peligrosos de la carne podrida.

Buitre dorsiblanco carroñero

Hay un montón de formidables depredadores ahí fuera, como cocodrilos, leones y serpientes constrictoras gigantes, pero a muy pocos parece gustarles el sabor de los humanos. De vez en cuando, un animal se come a una persona, pero es muy raro y seguramente ni siquiera lo hace adrede. Por ejemplo, los tiburones a veces atacan a los surfistas, pero los expertos creen que lo hacen porque confunden la forma de la tabla de surf con una sabrosa foca.

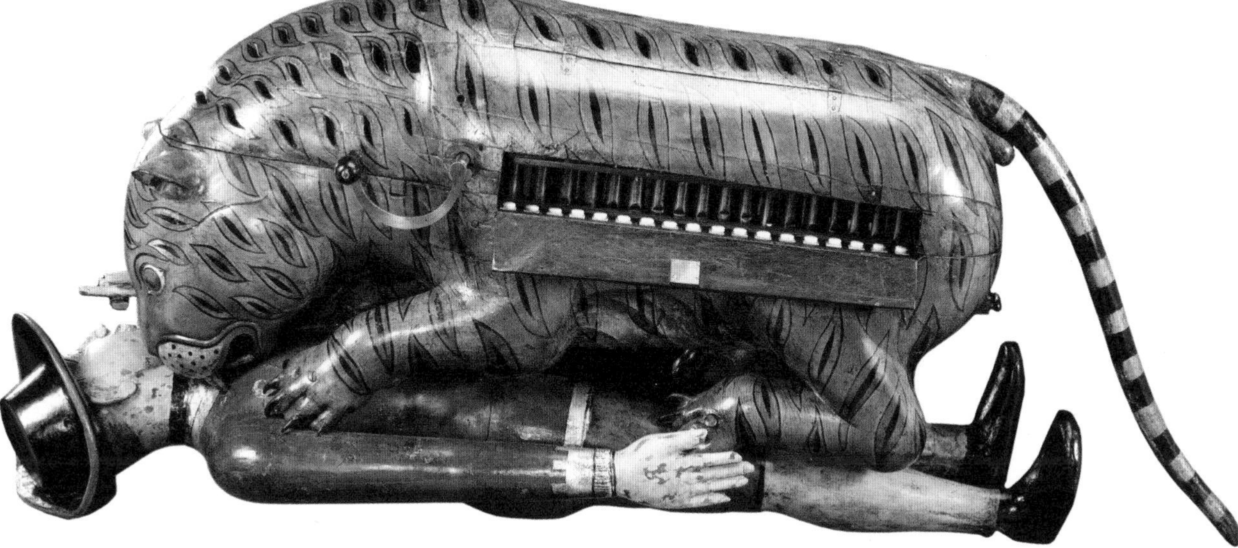

Sin embargo, hay un lugar en el mundo donde los humanos son un manjar exquisito. En los Sundarbans, una zona de la India y Bangladesh, los tigres tienen la costumbre de intentar cazar a los humanos para comérselos. Nadie sabe por qué lo hacen, ya que los tigres de otras partes del mundo no parecen muy interesados en comer humanos.

Tigre Tipu. Piano esculpido de la India, *c.* 1793

¿Podría hacerme AMIGO DE UNA SERPIENTE?

Bueno, podrías abrazar a una cobra, si la tuvieras lo suficientemente cerca, pero sería una idea pésima.

La **mordedura** de la cobra, como la de muchas otras serpientes, es **mortal**. Sus dos colmillos frontales, grandes y afilados, son huecos, como agujas, y están conectados a dos sacos o bolsitas que contienen un potente **veneno** a ambos lados de su cabeza.

Víbora de los Grandes Lagos en pleno ataque

Una cobra puede atacar repentinamente. Muerde rápido, hundiendo sus dientes en la víctima e inyectándole el veneno. Si no recibes asistencia médica rápido, el veneno puede impedir que respires y puede resultar mortal en menos de una hora.

Las serpientes venenosas utilizan su veneno para matar o **paralizar a la presa** que quieren comerse. También muerden para defenderse de cualquier otro animal que suponga una amenaza, incluidos los humanos. En algunas partes del mundo, miles de personas mueren cada año por mordeduras de serpiente.

LA PEOR PICADURA DEL MUNDO

¿Cuál es el animal más letal del planeta? La mayoría de expertos coinciden en que el premio se lo lleva la avispa de mar, una pequeña medusa casi transparente que vive en las cálidas aguas del océano de Australia y el sudeste asiático. Cuando la avispa de mar pica, sus tentáculos se pegan a la víctima, inyectándole más y más veneno. Su veneno es tan potente que puede matar a un ser humano en solo unos minutos. Sin embargo, algunas víctimas sobreviven si son llevadas enseguida al hospital.

Una avispa de mar y un submarinista con guantes de protección

TOCADO Y HUNDIDO

Otro animal que más vale no abrazar es el puercoespín. Está cubierto de púas superafiladas con cerdas orientadas hacia atrás en la punta. Si lo tocas, las púas se desprenden del puercoespín y se clavan en tu piel. Los puercoespines utilizan sus púas para defenderse de los cazadores hambrientos cargando contra ellos. Algunos puercoespines sacuden primero sus púas produciendo un sonido metálico que sirve de advertencia.

Puercoespín común. Artista desconocido, *c.* 1850

NI TE ACERQUES...

Los animales venenosos, como las serpientes, inyectan una sustancia venenosa a sus víctimas. Pero otros animales, como esta rana punta de flecha, son tóxicos más que venenosos. Contienen un agente tóxico que puede matar o herir a otros animales si intentan comérselos. La rana punta de flecha tiene un veneno superletal en su piel. De hecho, es TAN tóxico que con solo tocarla puedes caer muy enfermo, o incluso morir. ¡Qué fuerte!

Rana punta de flecha

¿POR QUÉ los PECES no se AHOGAN?

Si intentaras respirar bajo el agua, ¡sería un desastre!

El motivo es que los humanos, como otros mamíferos, necesitan **respirar aire**. Todos los animales necesitan **oxígeno**, que se encuentra en el aire y el agua. Pero nuestros **pulmones** solo pueden obtener oxígeno del aire. En el agua, no funcionan. En cambio, un pez puede pasarse la vida bajo el agua y conseguir todo el oxígeno que necesita. En lugar de pulmones, los peces utilizan las branquias para respirar. Cuando el agua pasa por las **branquias**, estas extraen el oxígeno.

¿Por qué los peces no tienen párpados?
Ve a la página 51

El agua está parcialmente formada por oxígeno, pero no es el oxígeno que aspiran los peces. Utilizan un oxígeno distinto que se **disuelve** y se mezcla con el agua.

Sin embargo, a veces los peces también se pueden ahogar. Si no hay suficiente oxígeno en el agua, los peces se asfixian y mueren. Lo mismo sucede si un pez se saca del agua a la atmósfera, excepto en el caso de algunas especies, como los peces pulmonados y los saltarines del fango, que pueden respirar en el agua y también en el aire.

Saltarín del fango tomando aire

CAMPEÓN DE APNEA

Las ballenas tienen que sumergirse hasta el fondo del mar para buscar comida, y eso significa que tienen que ser buenas aguantando la respiración. ¡Y efectivamente lo son! Una ballena jorobada, por ejemplo, puede permanecer debajo del agua durante 40 minutos y una ballena azul incluso más de una hora. Aunque el campeón mundial es la ballena picuda de Cuvier, que bucea a gran profundidad y logró un récord de inmersión de 137 minutos sin salir a tomar aire, o sea, ¡2 horas y 17 minutos!

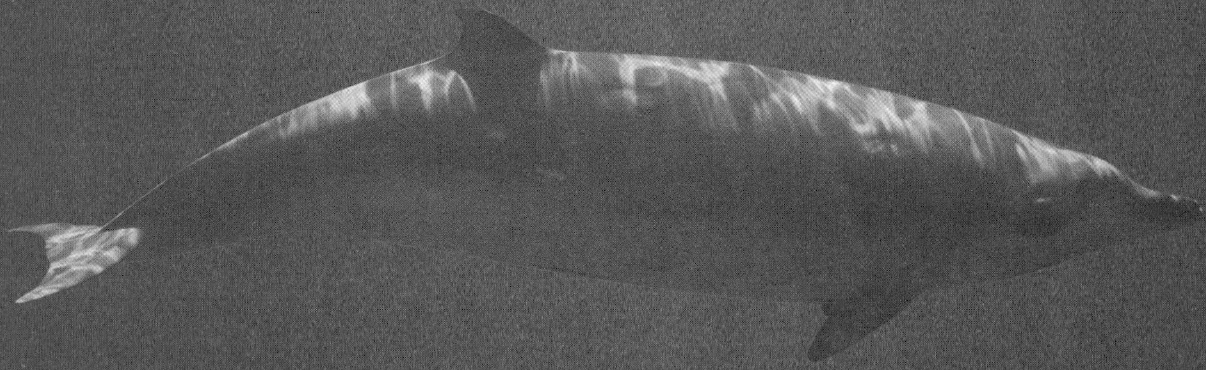

Ballena picuda de Cuvier

UN SURTIDOR EN LA CABEZA

A veces parece que los delfines y las ballenas echen agua por la cabeza, pero eso no es exactamente lo que sucede. Estos animales son mamíferos, y no pueden respirar debajo del agua. Necesitan respirar aire y, para hacerlo más fácil, respiran a través de un orificio que tienen en la parte superior de la cabeza, llamado espiráculo. Cuando una ballena azul sale a la superficie respira muy deprisa, expulsando agua en forma de chorro por el espiráculo hacia arriba. Cuando un delfín respira, el vapor de agua también se puede condensar, si el aire es frío, y ofrecer un aspecto humeante. Visto de lejos, ¡parece una fuente!

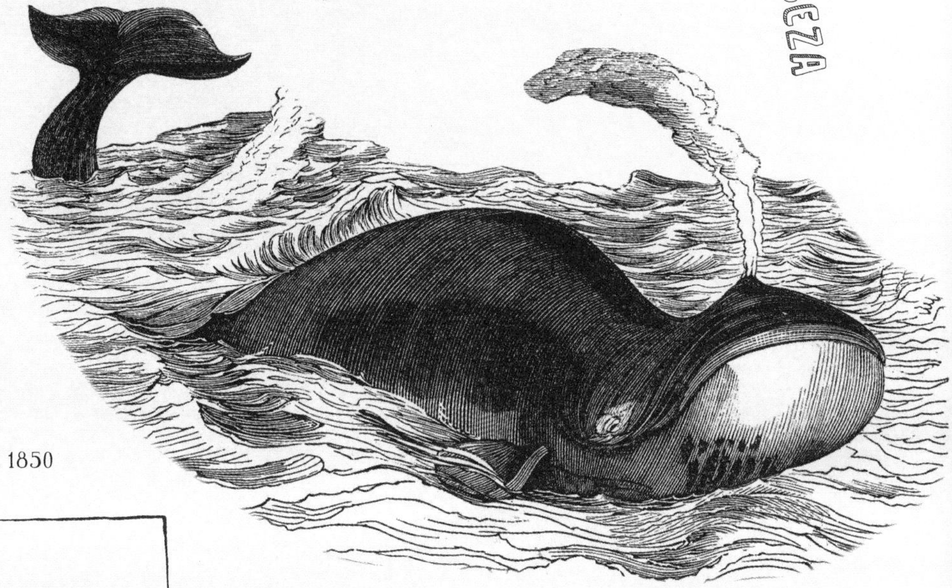

Ballena. Artista desconocido, *c.* 1850

PIEL PERMEABLE AL OXÍGENO

Los anfibios, como las ranas y los sapos, son animales extraños. Cuando son renacuajos, tienen branquias, como los peces, y respiran bajo el agua. De adultos, la mayoría de anfibios pierden sus branquias y desarrollan pulmones, de modo que pueden respirar en el aire, pero también siguen haciéndolo en el agua. Su secreto es absorber el oxígeno del agua a través de la piel. Toda la piel de una rana, por ejemplo, es como una gran branquia que puede absorber el oxígeno del agua que tiene alrededor.

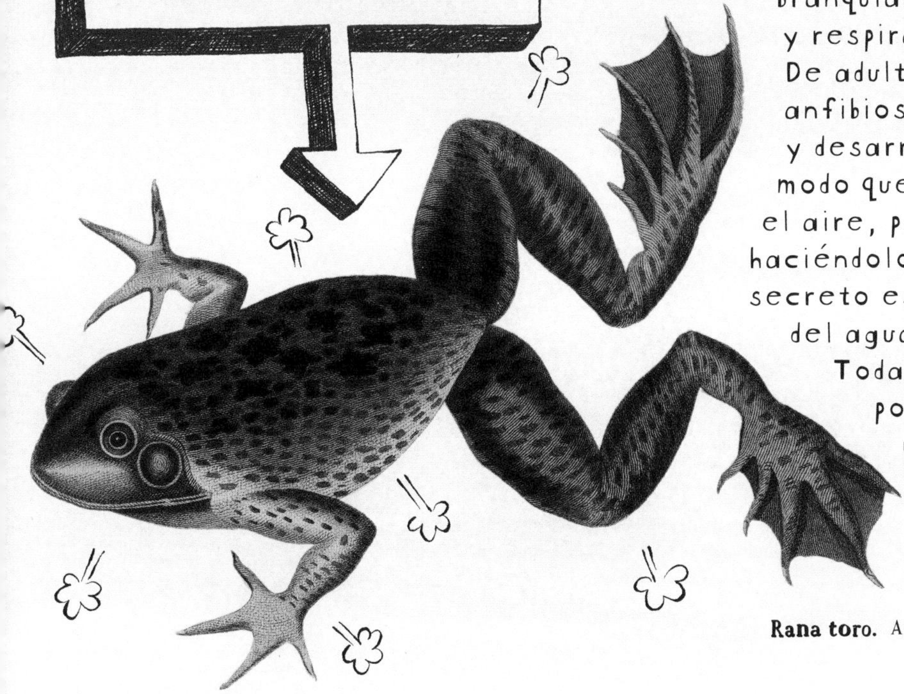

Rana toro. Artista desconocido, *c.* 1850

¿Por qué LOS ANIMALES no se CEPILLAN LOS DIENTES?

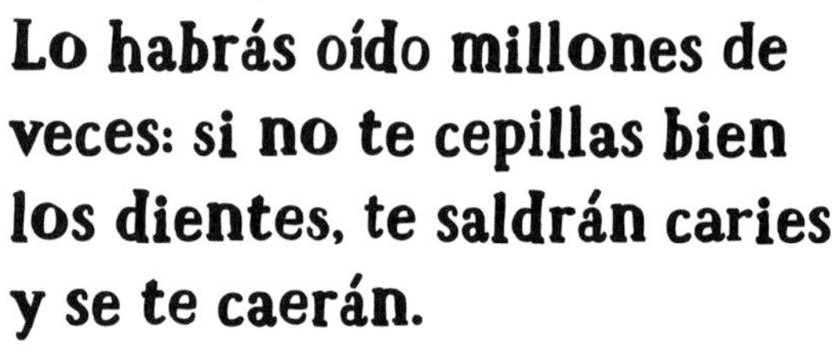

Lo habrás oído millones de veces: si no te cepillas bien los dientes, te saldrán caries y se te caerán.

¡Pero seguro que no has visto a ningún animal cepillarse los dientes! Entonces, ¿por qué no tienen todos caries? En realidad hay varios motivos.

Para empezar, la mayoría de animales no tienen la misma **dieta** perjudicial para los dientes que nosotros, como los **alimentos azucarados**, que tanto gustan a las bacterias que provocan caries. Los conejos o los tigres solo comen plantas o carne cruda, no donuts o bebidas gaseosas que producen caries.

Hipopótamo rodeado de
peces limpiadores

Las ratas y otros roedores tienen dientes que **nunca dejan de crecer** y desgastarse, por lo que no envejecen ni se pudren. A los tiburones se les caen los dientes cada pocas semanas y son **sustituidos** por otros nuevos. Y algunos animales se lavan los dientes, aunque sin utilizar cepillo. Los hipopótamos abren sus bocas de par en par cuando están debajo del agua para que los peces atrapen la suciedad y los bichos que tienen en los dientes. Así los peces obtienen comida y los hipopótamos una limpieza bucal.

Y, naturalmente, algunos animales ni siquiera tienen dientes. Las abejas y las mariposas succionan el néctar más dulce de las flores con sus bocas en forma de trompa. No tienen dientes, o sea que no pueden tener caries.

¿DEJARÍAS **que un pez limpiara tus dientes?**

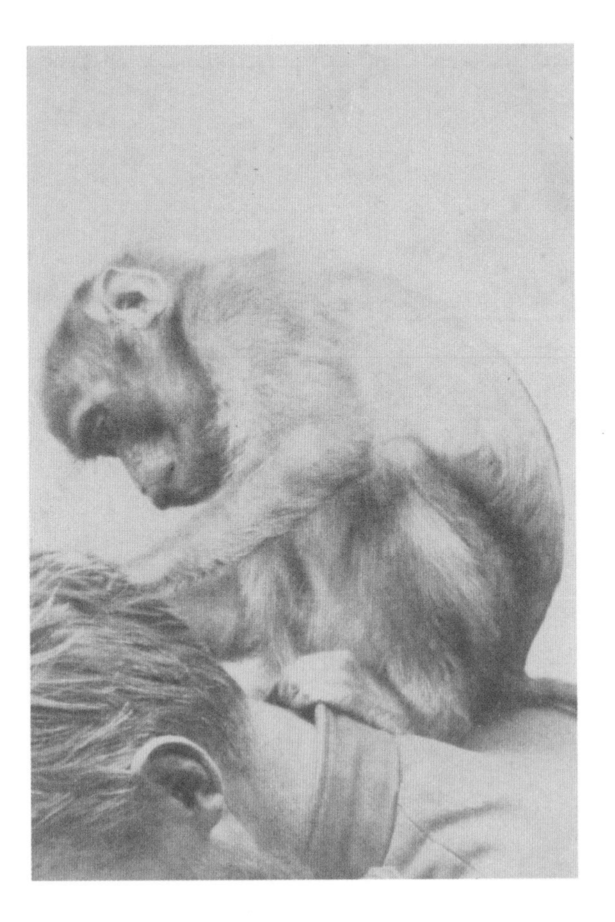

¡OJO CON ESOS PIOJOS!

En el zoo podemos ver a los monos o chimpancés sentados sacándose cosas del pelo unos a otros, y a menudo incluso comiéndoselas. Pero, ¿por qué lo hacen?

Este comportamiento se llama aseo social. Los monos y los simios viven en grupos y se limpian mutuamente para quitarse las pulgas, piojos y suciedad del pelo de los lugares que no alcanzan por sí mismos. También es una buena manera de establecer lazos o mostrar al otro su cariño y amistad. Los humanos hacemos lo mismo cuando nos abrazamos, charlamos o reímos juntos.

Mono aseando a un hombre

¿SUDAN LOS ANIMALES?

Los humanos sudamos por todo el cuerpo para ayudar a bajar la temperatura, pero la mayoría de animales no son tan sudorosos como nosotros. Puede que tengan algunas glándulas sudoríparas, por ejemplo los simios tienen sudoración en las axilas, y los perros y los gatos sudan a través de las patas para que estén un poco húmedas y se agarren mejor, pero casi ningún animal suda por todo el cuerpo. Aunque los caballos son una excepción. Cuando corren muy rápido, pueden quedar empapados en sudor. El sudor de los caballos contiene una sustancia similar al jabón que a veces hace que parezcan llenos de espuma.

El caballo en movimiento. Eadweard Muybridge, *c.* 1880

¿POR QUÉ MI GATO SE LAME EL TRASERO?

Los gatos se limpian solos lamiéndose, ¡y eso incluye su trasero! Lamerse es la única manera que tienen de mantener el pelo, la patas y el trasero limpios. No resulta muy agradable cuando tu gato se sienta y empieza a hacerlo delante de toda la familia o, lo que es todavía peor, de tus visitas. Pero para un gato es saludable y normal. Los felinos salvajes, como los leones y los leopardos, también lo hacen. Además ni siquiera se ponen en enfermos al hacerlo. Al comer carne cruda, sus cuerpos están bien preparados para enfrentarse a los gérmenes.

Gato lamiéndose

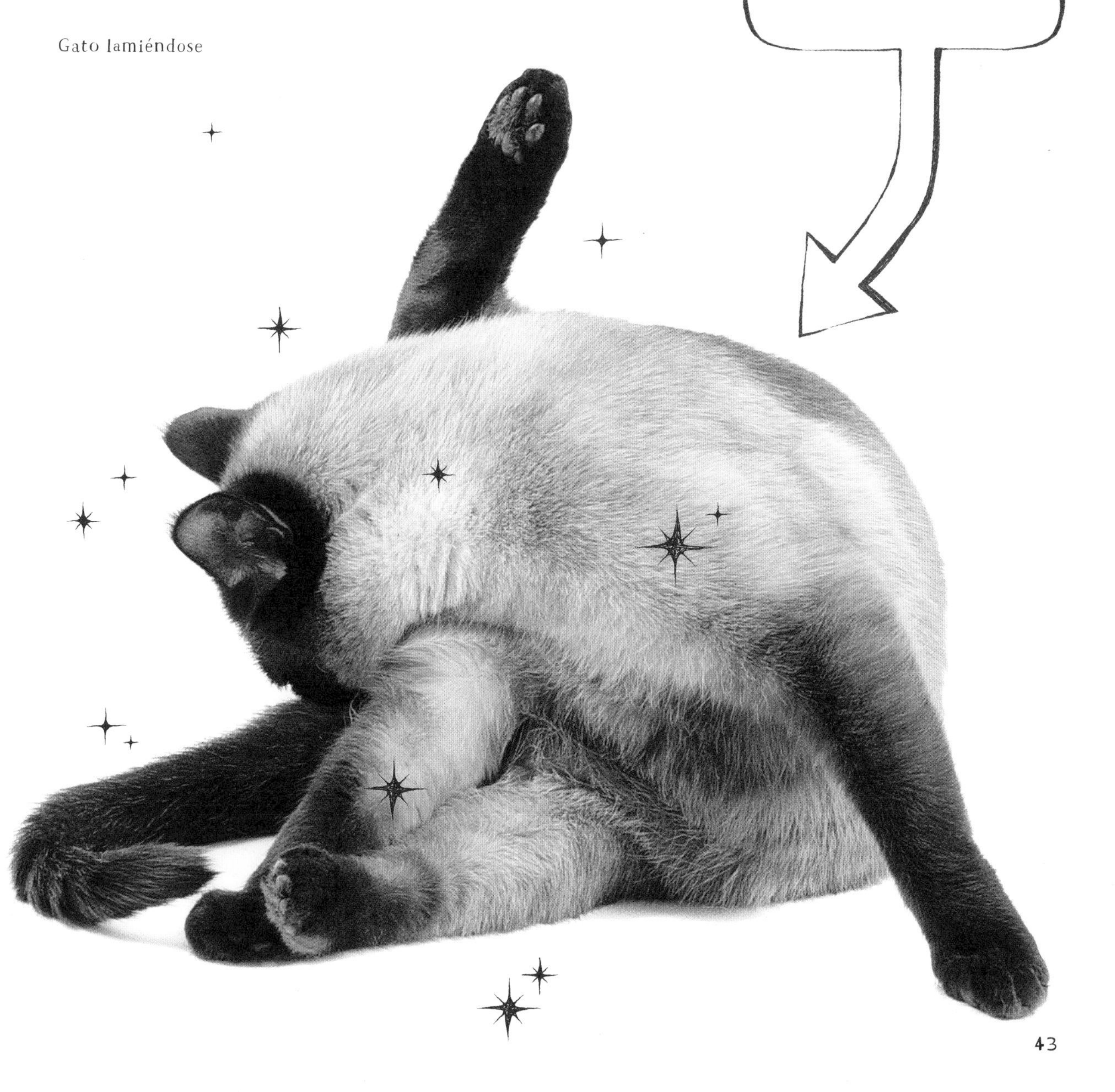

¿De qué COLOR es un CAMALEÓN?

Los camaleones son famosos por su habilidad para cambiar de color, y muchas personas creen que lo hacen para camuflarse y confundirse con el entorno. En realidad, no es exactamente así.

Los camaleones pueden cambiar de color. Tienen unas células cutáneas especiales que contienen **cristales** minúsculos. Al alterar los patrones y posiciones de los cristales, pueden hacer que su piel refleje distintas longitudes de onda de **luz** y dar lugar a diferentes colores.

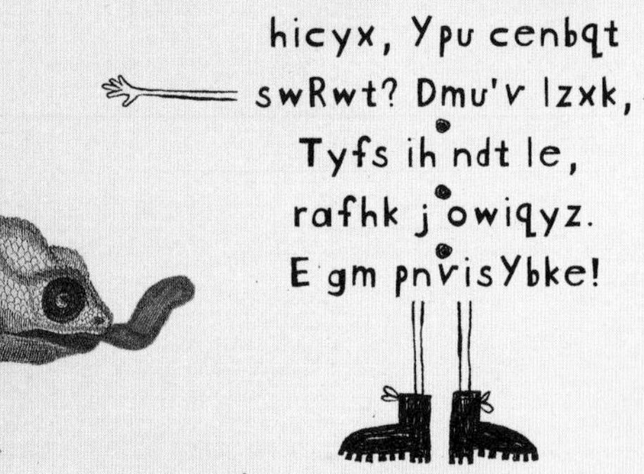

Sin embargo, tardan unos minutos en cambiar, no pueden hacerlo al instante. Y normalmente cambian de color para **enviar mensajes**, no para mimetizarse. Los camaleones machos utilizan los colores amarillo o rojo vivo para **presumir** delante de las hembras y mantener a distancia a los demás machos. Un camaleón también puede volverse más oscuro si siente frío, ya que las superficies más oscuras absorben más energía térmica de su entorno, lo que ayuda al camaleón a calentarse.

En cambio, cuando están relajados, muchos camaleones son de **color verdoso**, lo que les permite camuflarse bien en entornos frondosos.

Camaleones comunes

FÍJATE en esta explosión de color

¿Pueden enviar mensajes los animales?
Ve a la página 86

COMO POR ARTE DE MAGIA

Existe un animal que sí puede cambiar de color en décimas de segundo para confundirse con su entorno. Y no solo eso, también puede cambiar de forma y textura, de liso a rugoso, punzante o con bultos. ¡Es el pulpo! Los pulpos son MUCHO mejores camuflándose rápidamente que los camaleones. Son tan buenos escondiéndose, que puede resultar imposible detectar a un pulpo que se ha mimetizado con un arrecife de coral o un lecho marino cubierto de plantas. Una especie, el pulpo mimo, incluso puede disfrazarse de animales totalmente distintos, como peces o serpientes de mar.

Pulpo de Cyane antes y después del camuflaje

CUERPOS INVISIBLES

Con un buen camuflaje, un animal puede confundirse con el entorno. Pero, ¿y si pudieras ser realmente invisible y totalmente transparente? No hay ningún animal terrestre que pueda hacerlo, pero en el agua algunas criaturas son casi invisibles, como algunos tipos de plancton y medusas. No tienen huesos ni caparazones, y sus cuerpos están formados por una gelatina azulada y transparente, que es principalmente agua. Por este motivo pueden refractar la luz del mismo modo que el agua, o sea que es muy difícil verlos.

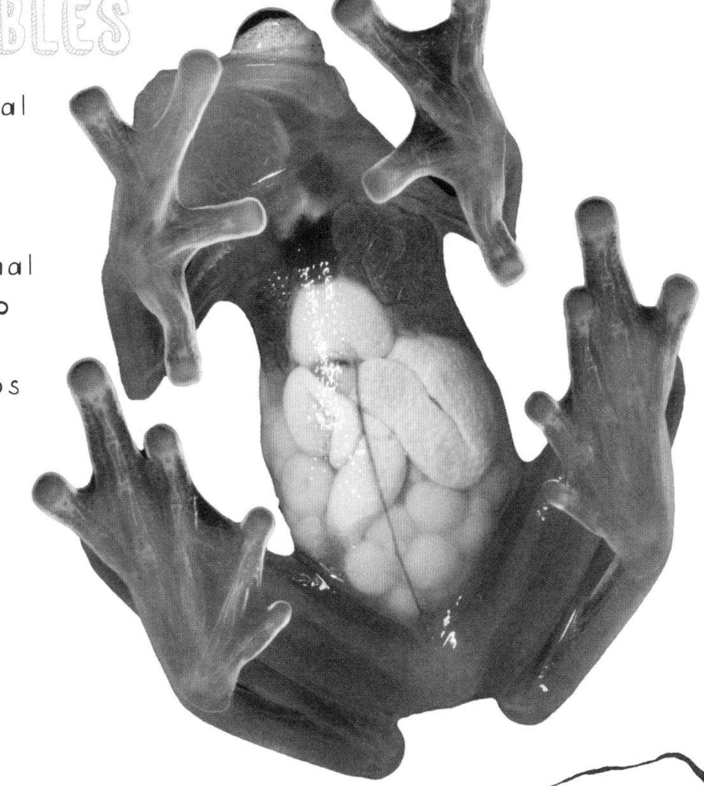

Rana de cristal vista desde abajo

¿QUÉ ES MARRÓN Y PEGAJOSO?

Insecto palo que se puede mimetizar con las hojas

Los insectos palo no cambian de color, pero son tan buenos camuflándose que realmente parecen palos, ramitas o tallos de las plantas. Podrías estar observando varios insectos palo posados sobre una planta y no ser capaz de encontrarlos. La evolución (ver página 16) ayuda a los animales a desarrollar este tipo de camuflaje tan espectacular. Los insectos palo más parecidos a los palos son los que sobreviven mejor, porque es más difícil que los depredadores los detecten. Con el tiempo, todas las especies se van pareciendo cada vez más a un palo, hasta que la coincidencia es perfecta.

¿SON CIEGOS los MURCIÉLAGOS?

Seguramente habrás oído decir que los murciélagos son ciegos, pero... ¿es verdad? Después de todo, se las apañan bastante bien para orientarse en la oscuridad.

Lo cierto es que todos los murciélagos tienen ojos y pueden ver. De hecho, algunas especies, como los grandes murciélagos frugívoros conocidos como zorros voladores, tienen una **vista excelente**, mucho mejor que la de los humanos.

Murciélago grande de herradura persiguiendo a una polilla

Sin embargo, muchos tipos de murciélagos más pequeños salen por la noche para cazar insectos voladores, y para eso no se sirven de la vista. En su lugar recurren a la **ecolocalización**, una manera de calcular dónde se encuentran las cosas utilizando el sonido. Cuando vuela, el murciélago produce chillidos muy agudos y el sonido rebota en los objetos de su alrededor. El murciélago **escucha** los ecos usando sus oídos supersensibles. A partir de esos sonidos, el murciélago puede adivinar dónde están los objetos como árboles y paredes, y detectar formas, texturas y movimiento. Incluso puede utilizar la ecolocalización para perseguir y atrapar a sus presas, como las polillas, en el aire.

¿Es que nunca duermen los búhos?
Ve a la página 56

VISIÓN NOCTURNA

Los gatos y otros animales, incluidos los cocodrilos, los lobos y los leones marinos, tienen una capa en la parte posterior de los ojos llamada *tapetum lucidum* (que significa «tapiz luminoso»). Es como un espejo brillante detrás de la retina, la capa de células situada en la parte posterior del ojo que detecta la luz. La luz pasa a través de la retina, llega al *tapetum* y es rebotada de nuevo hacia la retina, lo que permite a las células de la retina percibir la misma luz una segunda vez. Esto ayuda a los animales a ver mejor por la noche o en aguas profundas y oscuras.

Jaguar por la noche

ABRE TU TERCER OJO

Nosotros tenemos dos ojos, muchos insectos tienen cinco ojos y la mayoría de arañas tienen ocho. Pero tener tres ojos es bastante raro. Un animal que los tiene es el tuátara, un reptil procedente de Nueva Zelanda. Además de los dos ojos normales, tiene un tercer ojo «parietal» sobre su cabeza. Algunos lagartos, ranas y peces también lo tienen. Los ojos parietales están cubiertos de piel, pero pueden detectar la luz y la oscuridad. Otro animal con tres ojos es el diminuto triops, que se parece a una gamba. Su nombre significa «tres ojos».

Tuátara

¿POR QUÉ LOS PECES NO TIENEN PÁRPADOS?

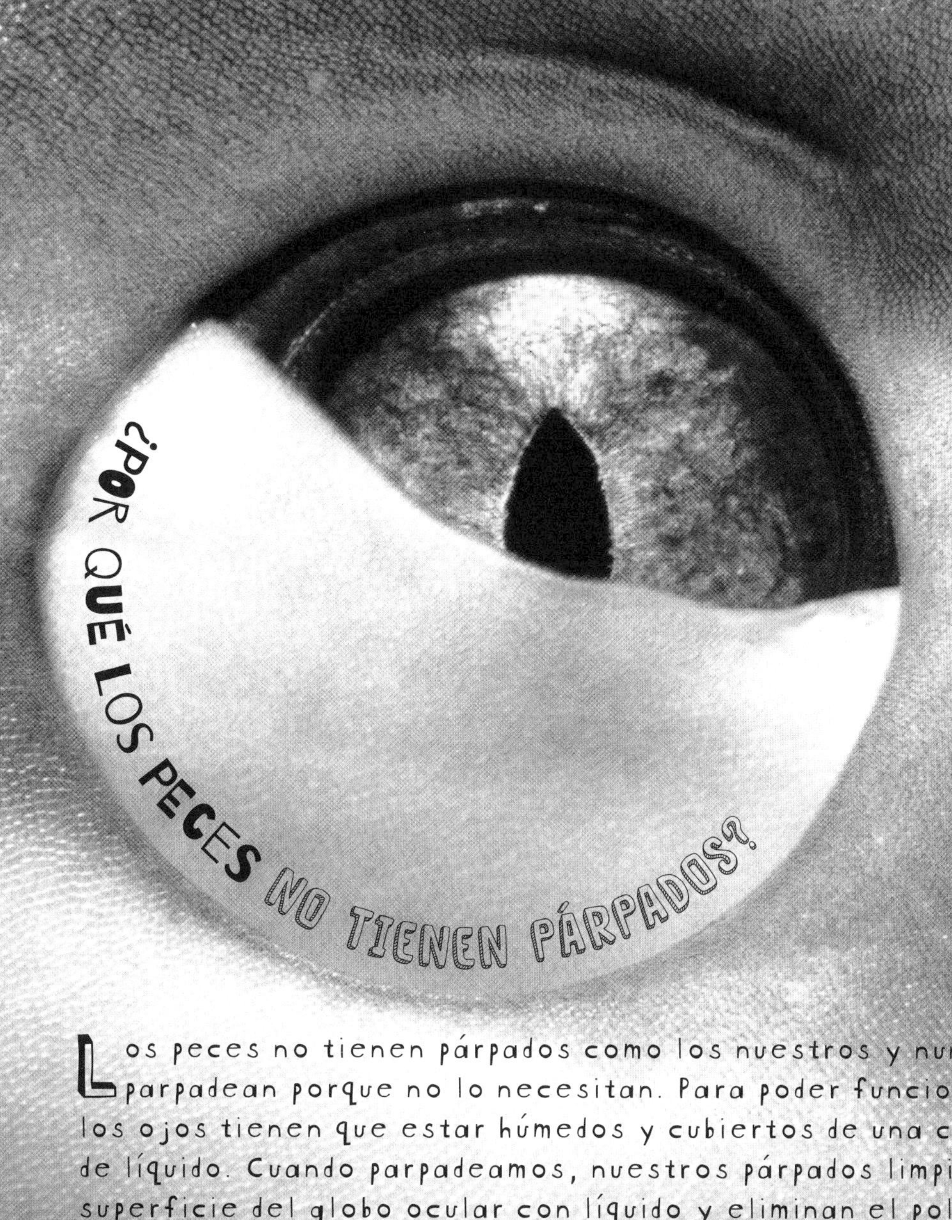

Los peces no tienen párpados como los nuestros y nunca parpadean porque no lo necesitan. Para poder funcionar, los ojos tienen que estar húmedos y cubiertos de una capa de líquido. Cuando parpadeamos, nuestros párpados limpian la superficie del globo ocular con líquido y eliminan el polvo. Pero como los peces viven bajo el agua, sus ojos permanecen siempre húmedos y perfectos, por eso los párpados no son necesarios. Sin embargo, los tiburones tienen un tipo de párpado especial, llamado membrana nictitante, que se cierra sobre los ojos del tiburón cuando ataca para protegerlos de los posibles daños.

Primer plano de la membrana nictitante de un tiburón

¿POR QUÉ los ANIMALES van desnudos?

Una gran diferencia entre los humanos y la mayoría de los demás mamíferos es que estos son MUCHO más peludos.

Todos los mamíferos tienen **pelo** por todo el cuerpo. La razón principal es que el pelo les ayuda a mantener el calor, sobre todo por la noche. Los animales de sangre fría por su parte no necesitan conservar el calor. Pero a nosotros sí que nos gusta estar calentitos, así que ¿dónde está nuestro pelo?

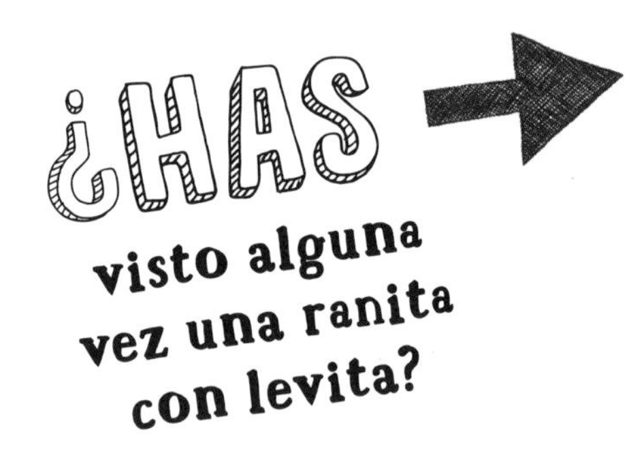

Los científicos tienen distintas teorías sobre por qué los humanos son mucho menos peludos de lo que cabría esperar. Algunos dicen que perdimos el pelo durante la evolución para deshacernos de los dañinos piojos y pulgas, o para evitar el sobrecalentamiento. Otros piensan que nos volvimos menos peludos para facilitar el nado, ya que en otra época nadar y bucear fueron una importante manera de encontrar alimentos para los primeros seres humanos.

Cuando los humanos aprendieron a construir refugios, hacer fuego y llevar ropa, el pelo **perdió importancia**. Pero las mascotas como los perros y los gatos siguen teniendo pelo, ¡aunque viven en nuestros acogedores hogares!

Rana vestida como un caballero con flores, sombrero de copa y paraguas. Artista desconocido, c. 1900

SE LES VE EL PLUMERO

Las plumas son lo que tienen las aves en lugar de pelo. Son exclusivas de todas las aves, ningún otro animal más que ellas las tienen. Las plumas desempeñan distintas funciones importantes. Las plumas suaves y mullidas cercanas a la piel ayudan al ave a mantenerse caliente. Las plumas exteriores ofrecen protección y, en el caso de las aves acuáticas, una capa impermeable. Y las grandes plumas de las alas ayudan a dar forma a las alas al tiempo que son ligeras, lo que permite a las aves volar. Además, los colores de las plumas sirven de camuflaje o dan señales llamativas para lucirse ante una pareja.

Pavo real. Ohara Koson, 1925-1936

¿SON VISCOSAS LAS SERPIENTES?

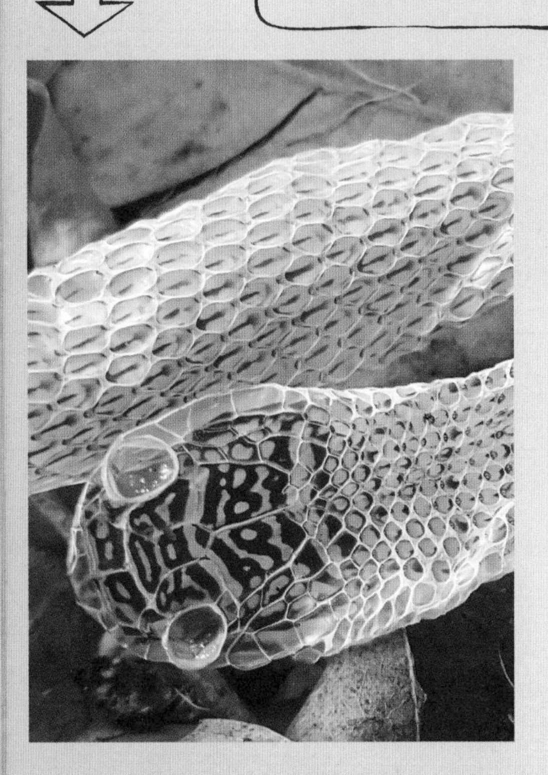

Si tocas una serpiente, igual te sorprendes al notar que su piel no es para nada húmeda ni viscosa. A diferencia de otros animales que reptan, como los gusanos o las babosas, la piel de una serpiente es suave, seca y de tacto similar al papel. Las serpientes son reptiles y, como todos los reptiles, están cubiertas de escamas, que son pequeñas láminas o secciones de materia dura, un poco como las uñas. Las escamas protegen a la serpiente y la ayudan a adherirse al suelo cuando repta.

Piel de serpiente mudada

¿DE QUÉ ESTÁN HECHOS LOS CUERNOS?

Los rinocerontes tienen uno o dos cuernos en el hocico, dependiendo de las especies. Según la creencia, el cuerno de los rinocerontes tiene poderes mágicos o medicinales, por eso a menudo los rinocerontes son cazados por sus cuernos. Pero, ¿qué son realmente? Los cuernos de los rinocerontes no contienen ningún hueso, como los cuernos de otros animales. Y no están hechos solo de pelo compactado, como se solía pensar. El cuerno de los rinocerontes está hecho de queratina, la misma sustancia que encontramos en el pelo y la piel, pero es más dura, similar a la pezuña de una vaca o el pico de un loro.

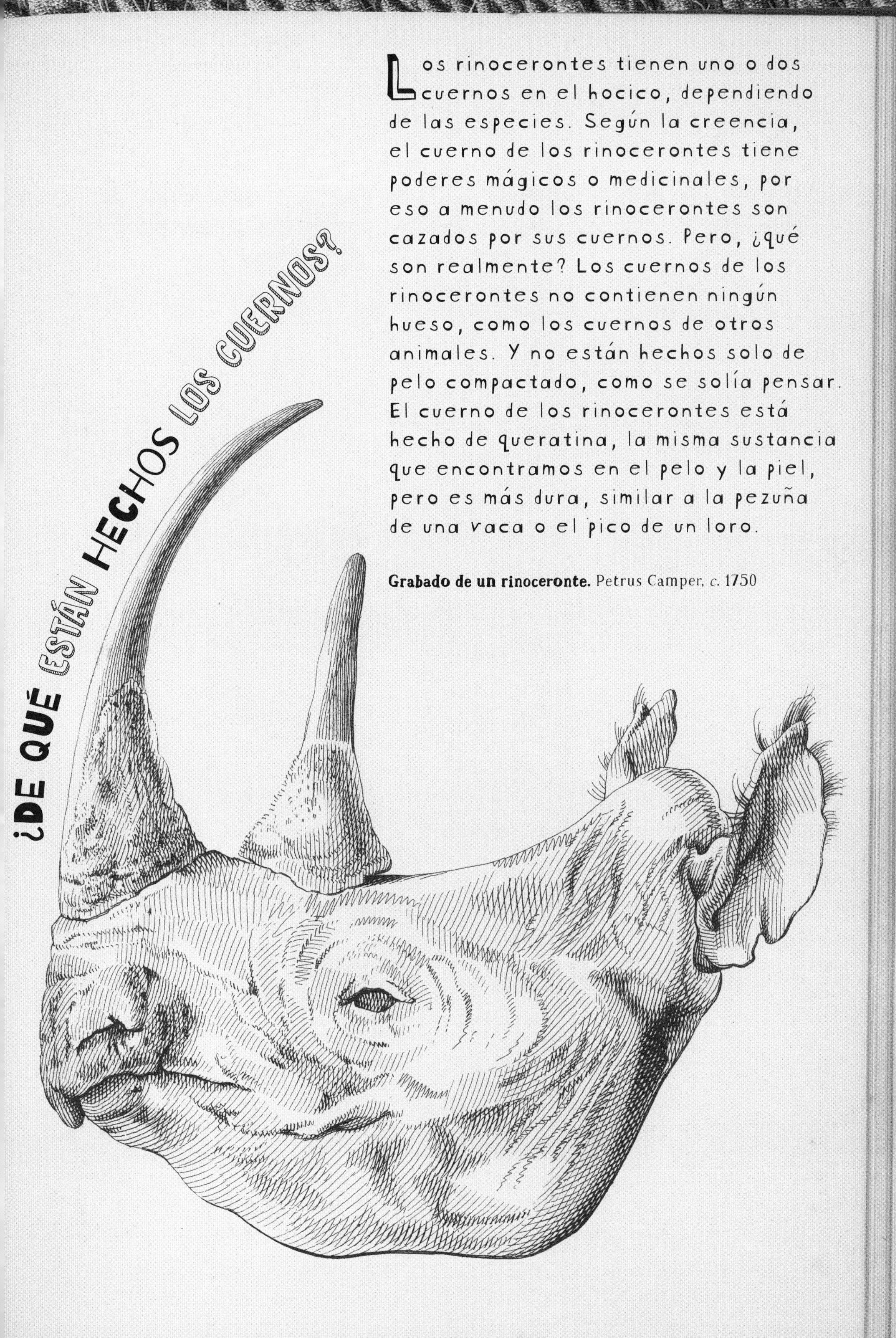

Grabado de un rinoceronte. Petrus Camper, *c.* 1750

¿ES QUE NUNCA DUERMEN LOS BÚHOS?

¡CHIST!

Los búhos duermen cuando tú estás despierto.

¡Uh-uh, uh-uh! A los búhos les gusta mantenerse despiertos por la noche cazando y ululando, mientras la mayoría de los demás pájaros están posados en los árboles durmiendo.

Los animales que permanecen gran parte de la noche despiertos, como los búhos, se denominan animales **nocturnos**. La razón por la que pasan las noches en vela es sencilla: **duermen durante el día.** Normalmente no podemos ver a los búhos durmiendo, pero están ahí acurrucados dentro de los árboles huecos, en las ramas más altas o en los rincones y grietas de los edificios. Cuando cae la noche, se despiertan y van en busca de comida.

Para algunos animales resulta muy útil y lógico ser nocturnos. Les permite cazar o esconderse del peligro protegidos por la oscuridad. Significa que pueden buscar alimento cuando los animales diurnos están durmiendo y evitar competir con ellos. Y en desiertos y lugares tropicales, es una excelente manera de **librarse del calor** del sol.

Búho durmiendo en el tronco de un árbol

HIBERNANTES HAMBRIENTOS

Muchas especies animales, incluidos los osos, mofetas y algunas serpientes, ranas y lagartos, hibernan durante el invierno. Entran en un estado de letargo y somnolencia y pasan los meses de invierno acurrucados en algún lugar resguardado, como una madriguera, una cueva o un tronco hueco. Durante ese tiempo, prácticamente no comen nada. Pueden sobrevivir porque sus cuerpos disminuyen el ritmo y bajan de temperatura, así que no necesitan tanta energía. Algunos incluso utilizan las reservas de grasa almacenadas en el cuerpo, que obtienen comiendo todo lo que pueden en otoño.

Mariquitas asiáticas multicolor, también conocidas como mariquitas arlequín

¡DURMIENDO MIENTRAS TRABAJAN!

Los vencejos, un tipo de ave pequeña, pasan la mayor parte de la vida volando. A veces bajan a tierra, pero solo para anidar y tener polluelos. Un vencejo puede volar durante varios meses seguidos, ¡sin parar! Pero todos los animales necesitan dormir, así que, ¿cómo lo hacen? Los científicos piensan que los vencejos suben a mucha altura y después desconectan durante un rato, planeando suavemente mientras dormitan. Entonces, cuando se acercan demasiado al suelo, se vuelven a despertar.

Vencejo común

¿UNA CABEZADITA?

Si tienes un gato de mascota, ya sabrás que a los gatos les encanta echarse una siesta, especialmente en un lugar cómodo y calentito. De hecho, un gato puede pasarse entre 16 y 20 horas del total de 24 que tiene el día durmiendo. En estado salvaje, los gatos son feroces cazadores que tienen que rastrear, perseguir y abalanzarse sobre su presa. Esto requiere mucha energía. Por eso, cuando no está cazando (o comiéndose un delicioso plato de comida para gatos), el instinto natural de un gato es holgazanear tumbado en algún lugar cálido, para ahorrar energía.

Gato durmiendo. Artista desconocido, *c.* 1650

¿NO necesitan MAPAS los ANIMALES?

Cada otoño, millones de mariposas monarca negras y naranjas migran de Canadá y el norte de Estados Unidos hacia lugares más cálidos como los estados del sur y partes de México.

La **migración** es el desplazamiento de animales de un lugar a otro coincidiendo con los cambios estacionales, normalmente en busca de comida o temperaturas más altas. Las mariposas monarca son solo una de los millones de especies que migran. Sin embargo, lo extraordinario en este caso es que las monarcas que vuelan hacia el sur no son las mismas que fueron hacia el norte en primavera. Durante el verano, se aparean, ponen huevos y después mueren, y lo mismo hacen sus crías, y las crías de sus crías.

¿ACASO estas mariposas se están indicando el camino unas a otras?

Las mariposas que migran de vuelta ¡son sus bisnietos! Y a pesar de todo, vuelan de regreso justo al lugar donde nacieron sus bisabuelos. ¿Cómo saben el camino?

Nadie tiene la respuesta exacta. Puede que perciban el **campo magnético** de la Tierra, que vean **puntos de referencia** en el camino o que huelan el **rastro** que dejaron las mariposas al volar al norte, o quizá una combinación de las tres cosas.

Mariposas monarca migrando al centro de México

ALIMENTACIÓN Y REPRODUCCIÓN

Las tortugas laúd son unos animales migratorios impresionantes. Nadan desde Indonesia, a un lado del océano Pacífico, hasta California, en la otra punta, para alimentarse de su comida favorita, las medusas. Después regresan para aparearse y poner sus huevos en las cálidas playas tropicales. ¡Un viaje de ida y vuelta de nada menos que 20.000 km!

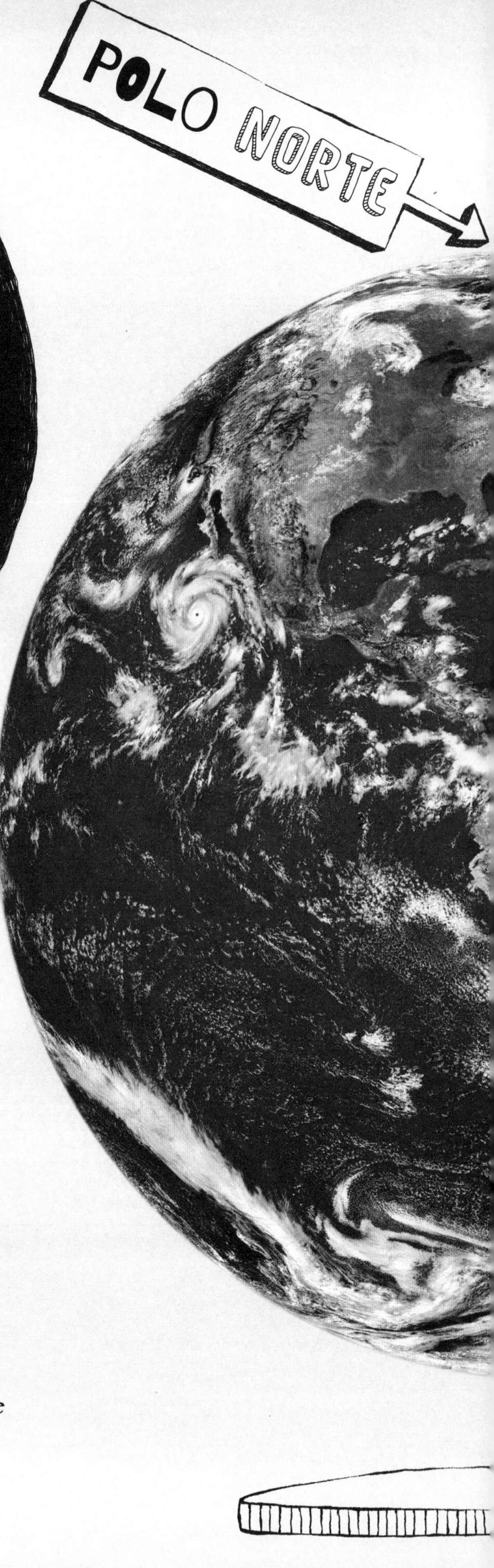

¿SE PIERDEN ALGUNA VEZ LOS ANIMALES?

Los animales migratorios son muy buenos a la hora de encontrar su camino utilizando el sol o la luna, los campos magnéticos de la Tierra o sus sentidos del olfato o la vista. Pero no son perfectos, y algunos ejemplares se pierden durante los largos viajes. Es el caso sobre todo de los pájaros, ya que pueden desviarse a causa de los fuertes vientos. A veces un pájaro aparece muy lejos de su área de distribución habitual, tras apartarse de su ruta de migración. De hecho, al perderse, una especie puede terminar estableciéndose en un lugar totalmente nuevo.

RECORD MUNDIAL

Las tortugas laúd pueden nadar miles de kilómetros... pero el animal que migra más lejos de todos es un pájaro llamado charrán ártico. Cuando es verano en el Ártico, alrededor del Polo Norte, es invierno en el Antártico, alrededor del Polo Sur. A los charranes árticos les gusta pasar el verano en ambos lugares. Por eso cada año vuelan del Ártico al Antártico y viceversa, una distancia de unos 20.000 km.

POLO SUR

Charrán ártico (arriba)
Fotografía de la Tierra desde el espacio, NASA (centro)
Tortuga laúd (abajo, a la derecha)

¿POR QUÉ hacen caca LOS ANIMALES?

¡Todo lo que entra, debe salir! O al menos una parte...

Cuando un animal **ingiere alimentos**, su cuerpo los rompe en pedacitos y **extrae las sustancias químicas que son de utilidad**. Pero siempre hay algo que el cuerpo del animal no necesita. **Lo que sobra se acumula** en los intestinos (o tubo digestivo) del animal y **se convierte en caca**. La caca también contiene bacterias de los intestinos, un poco de agua y otros residuos generados por el cuerpo del animal.

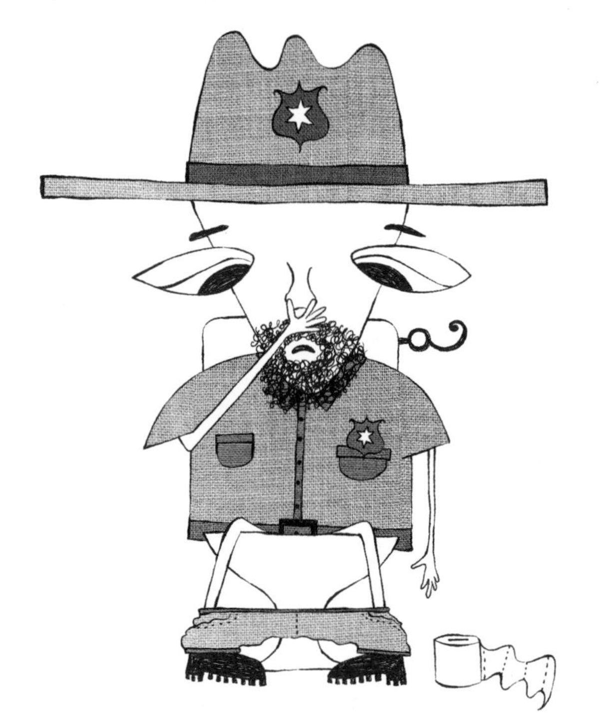

Algunos animales utilizan sus excrementos para finalidades específicas. Por ejemplo, los rinocerontes blancos dejan montañas de caca alrededor para marcar su territorio. La hembra del zorzal real lanza caca a sus depredadores para alejarlos de sus huevos.

Los humanos detestan el **olor apestoso** de la caca porque contiene gérmenes que pueden resultar dañinos si se introducen en nuestras bocas. Hemos evolucionado para que la caca nos parezca repugnante, por eso la mantenemos bien lejos, pero algunos animales no son tan tiquismiquis.

Zorzal real

¿Sudan los animales?
Ve a la página 42

UNA MONTAÑA DE CACA

Cuando ves una caca de perro o una boñiga de vaca, normalmente están rodeadas de moscas zumbando. Para las moscas, los excrementos son comida. Aunque los animales se deshacen de ellos como residuos, los excrementos contienen algunas sustancias químicas útiles para otras criaturas. A las moscas les gusta la comida blanda y podrida, y chupan las bacterias y restos de plantas o carne que hay en la caca. También ponen en ella sus huevos para que cuando sus larvas (crías) rompan el cascarón, tengan una pestilente comida esperándoles. Los escarabajos peloteros también comen caca, forman bolas de excrementos de animales y las transportan rodando para alimentar a sus familias.

Escarabajo pelotero no volador haciendo una bola de estiércol

UN BOCADO APESTOSO

Se trata de un espectáculo insólito que igual has visto en el zoo: un gorila o chimpancé comiendo su propia caca, como si fuera un delicioso plátano. Parece asqueroso, pero de hecho varios animales lo hacen. Puede que en los excrementos hayan quedado vitaminas, semillas u otras sustancias que necesitan pero que no han podido digerir la primera vez. Por eso intentan aprovechar e ingerir de nuevo los pedacitos de comida que encuentran ahí. En estado salvaje, los gorilas se pasan la mayor parte del día comiendo. Así que otra razón por la que se comen la caca podría ser que les gusta tener siempre un bocado a mano.

Dibujo de un mono.
Artista desconocido, *c.* 1777

UN AGUJERO PARA TODO

La mayoría de animales comen con la boca y hacen caca por el pandero. ¡Pero hay algunos animales que no tienen pandero! Las anémonas de mar y sus parientes las medusas, los corales y las hidras, solo tienen una abertura en su estómago. Tras comer y digerir su comida, usando el agujero como boca, los excrementos salen por el mismo agujero. Por suerte, ¡no parece importarles demasiado el sabor!

Anémona de mar comiéndose un pez

¿POR QUÉ convivimos CON ANIMALES?

Para nosotros resulta totalmente normal tener mascotas o montar a caballo. Pero, ¿por qué estamos tan unidos a otras especies?

Los humanos siempre hemos utilizado otros animales **como comida**. Pero poco a poco empezamos a criar y **cuidar** animales para tener más a mano su carne, su lana o sus huevos. También empezamos a criar caballos para montarlos, y gatos y perros como amigos serviciales que atrapan ratones o nos ayudan a cazar.

¿CON QUÉ animal te gustaría posar para un retrato?

Al principio estos animales eran salvajes, pero a lo largo del tiempo los humanos eligieron los que más les gustaban, como el perro más fiel o el caballo más rápido. **Criaron** estas especies para que se multiplicaran. Es lo que se denomina cría selectiva y funciona como una especie de evolución. Con el tiempo, el resultado fue que las mascotas y los animales de granja cambiaron y **fueron domesticados**. Nos resultaban más útiles y estaban habituados a vivir con nosotros. Nosotros también nos acostumbramos a ellos, y ahora las personas y los animales a menudo convivimos estrechamente.

Dama con armiño. Leonardo da Vinci, 1489-1490

A CABALLO GANADOR

Además de ser mascotas y animales de granja, los animales domésticos participan en distintos deportes, como los caballos que hacen competiciones de salto, carreras y doma, una especie de ballet ecuestre. ¡Es asombroso ver qué bien lo hacen! Algunos animales, sobre todo los caballos y los perros, son muy inteligentes y pueden ser adiestrados para realizar tareas y acrobacias, siguiendo las instrucciones de sus jinetes o propietarios. Del mismo modo, podemos entrenar a caballos para la policía montada, perros guía o perros de rescate.

Caballo de doma andaluz encabritado

¿PODRÍA UNA OVEJA DE GRANJA SOBREVIVIR EN EL MEDIO NATURAL?

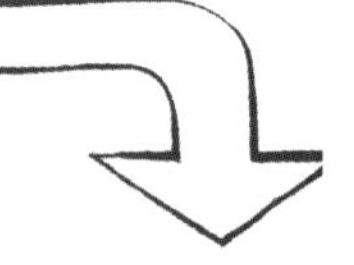

¡Probablemente no! Las ovejas domésticas fueron criadas a partir de ovejas silvestres fuertes y valientes, con grandes cuernos y afiladas pezuñas, y una habilidad increíble para escapar del peligro trepando por el monte. Mediante la cría selectiva los granjeros las hicieron más calmadas, pequeñas y dóciles, y por tanto más fáciles de criar. Ahora les costaría mucho sobrevivir en estado salvaje. Los granjeros también criaron ovejas para que fueran muy lanudas y así poder esquilarlas y utilizar la lana para fabricar ropa. Si nadie las esquilara, ¡las ovejas de granja pasarían demasiado calor!

Oveja con la cabeza atascada en un cubo

CADA PERRO CON SU HUESO

Un perro salchicha achaparrado, un mullido terrier y un rápido y feróz alsaciano son todos perros domésticos. De hecho, los tres son la misma especie, aunque tengan un aspecto totalmente distinto. La razón es la cría selectiva. Los humanos criaron perros a partir de los lobos para que hicieran todo lo que necesitaran, ya fuera cazar, proteger su hogar, arrear ovejas o ser mascotas adorables y cariñosas. Con el paso del tiempo, los lobos salvajes dieron lugar a las distintas razas de perros domésticos que tenemos hoy en día.

Perros, L.F. Couché y J.F. Cazenave según Vauthier, fecha desconocida

¿TIENEN OMBLIGO las SERPIENTES?

Si haces un dibujo de una serpiente, un dinosaurio, un pájaro o un pez, ¡no le pintes ningún ombligo!

¿Por qué no? Porque el ombligo que tienes en la barriga es algo **exclusivo de los mamíferos**. La mayoría de mamíferos como los humanos, los gatos, los caballos y los elefantes **crecen dentro de los cuerpos de sus madres** antes de nacer. Para que el feto crezca, un órgano llamado **placenta lo alimenta** a través de un tubo que está conectado a la tripita del bebé. Tras el parto, el cordón se cae dejando en su lugar el ombligo, que en realidad es una especie de herida.

La mayoría de serpientes y otros reptiles, pájaros y peces **ponen huevos**. Pero algunos, incluidas ciertas serpientes, nacen vivos, igual que los humanos. Y de hecho algunos, justo después de nacer, tienen algo parecido a un ombligo, por donde los alimentos de su madre o su huevo se introducían en sus cuerpos. Por lo general desaparece rápidamente, de modo que es difícil verlo, aunque en los caimanes sí se puede. El ombligo de un caimán es una zona con escamas más pequeñas, que indica dónde estaba conectado a su huevo.

Ejemplar joven de caimán

LUCES NOCTURNAS VOLADORAS

Por la noche, en humedales y zonas pantanosas, puede que veas unas luces brillantes que parpadean en el aire. Son las luciérnagas, un tipo de escarabajo. Los machos revolotean haciendo parpadear la luz que tienen en sus colas siguiendo un patrón. Las hembras se sientan y observan, y parpadean a su vez si quieren aparearse.

Los seres vivos que pueden producir su propia luz se llaman «bioluminiscentes». Otros animales bioluminiscentes pueden ser algunas especies de tiburón, calamar y ciempiés.

Luciérnagas en un bosque en Japón

¿POR QUÉ LOS HUEVOS TIENEN FORMA DE HUEVO?

Muchos animales, especialmente las aves, tienen crías poniendo huevos. El huevo tiene que proteger a la cría antes de que salga del cascarón, y las aves a menudo se sientan encima de sus huevos para incubarlos. Los huevos de las aves normalmente tienen un cascarón duro de forma ovalada y puntiaguda, que los protege de dos maneras. Primero, los hace más resistentes para poder soportar el peso de un ave adulta al sentarse. Segundo, si algún huevo sale rodando, su forma hace que rueden en círculo, por lo que es menos probable que se pierdan.

Pero no todos los huevos tienen esa forma. Las tortugas ponen huevos redondos y las moscas ponen huevos en forma de salchicha, por ejemplo.

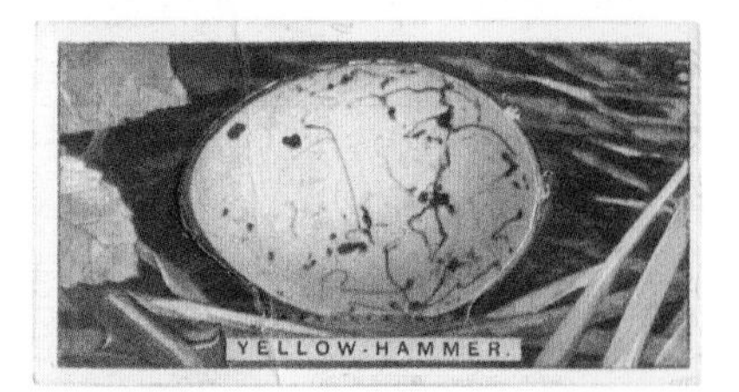

Huevos de arao, escribano cerillo y acentor

Uno de los espectáculos más disparatados del reino animal es el baile del alcatraz patiazul, una especie de ave marina. Los alcatraces machos y hembras practican un baile de cortejo juntos antes de aparearse y tener crías. Para ejecutar este ritual de baile, apuntan con sus picos hacia el aire y se balancean de un lado a otro, levantando y mostrando alternamente sus hermosas patas de color azul brillante.

Muchos otros animales también tienen rituales de cortejo y apareamiento para lucir sus colores, su fuerza o su tamaño. Los que hagan gala de las mejores dotes de seducción tienen más probabilidades de echarse novio.

Alcatraces patiazules en pleno baile de cortejo

¿QUIÉN decidió ORDEÑAR LAS VACAS?

Nadie sabe quién fue el primero que ordeñó una vaca, ya que sucedió hace varios miles de años.

Los humanos sabían que las **madres humanas producían leche** para sus bebés, y observaron que los terneros también se alimentaban de la leche de su propia madre. Entonces decidieron ver si podían **utilizar la leche de la vaca** como alimento, quizá en épocas en que escaseara la comida, o como alimento para los bebés humanos. Más tarde empezaron a utilizar la leche para elaborar otros productos, como mantequilla y queso. También criamos cabras, ovejas e incluso yaks para obtener su leche.

Los humanos no son la única especie que ordeña otros animales. Algunos tipos de hormiga crían insectos más pequeños llamados pulgones para protegerlos y ayudarlos a alimentarse. Después exprimen suavemente a los pulgones para que suelten un líquido claro y dulzón, llamado mielada, con el que se alimentan las hormigas.

Pastor ordeñando una vaca mientras la esposa sujeta al ternero. Artista desconocido, *c.* 1690

¿Por qué los animales se comen unos a otros?
Ve a la página 24

¿POR QUÉ LAS CRÍAS DE PINGÜINO COMEN VÓMITO?

Los pingüinos emperador ponen sus huevos sobre el hielo gélido de la Antártida, muy lejos del mar. Los machos sujetan los huevos entre sus patas para incubarlos, mientras que las hembras regresan al mar para alimentarse de peces. El huevo eclosiona cuando la hembra está ausente. Al volver, alimenta a su polluelo con peces triturados que regurgita o vomita de su estómago. Quizá te parece asqueroso, pero a los polluelos les da igual. Es la mejor manera que tienen de disfrutar de una buena comida.

Pingüino emperador con polluelo

SOLO ANTE EL PELIGRO

No todos los animales alimentan a sus crías. Las madres mamíferos dan a sus crías leche que sacan de su cuerpo y los pájaros pasan buena parte del tiempo buscando comida para sus polluelos. Pero muchas crías de animales tienen que cuidarse de ellas mismas desde que nacen. Los tiburones, las mariposas, las ranas y las iguanas, por ejemplo, se limitan a poner sus huevos y los abandonan para que eclosionen solos. Las crías tienen que buscarse su propia comida y protegerse de los peligros, sin la ayuda de los padres que les muestren cómo hacerlo.

Iguana saliendo del cascarón

Los cucos son pájaros muy astutos que engañan a los demás pájaros. En lugar de proteger sus huevos, el cuco hembra pone en el nido de un pájaro «anfitrión», como una reinita o un gorrión común. Cada cuco tiene su tipo de anfitrión favorito, y pone huevos que se parecen a los huevos de ese pájaro, ¡el muy tramposo! El anfitrión piensa que el huevo del cuco es suyo y lo incuba. Además también alimenta al polluelo de cuco cuando sale del cascarón. Esto ocurre incluso cuando el polluelo de cuco es más grande que el pájaro anfitrión adulto.

Cuco en el nido de otro pájaro

¿POR QUÉ no puedo VOLAR como un PÁJARO?

Los humanos SIEMPRE han querido volar como los pájaros. Pero cuando intentaron fabricar unas alas con plumas y se las ataron a los brazos con una correa, ¡no funcionó!

La razón es que los **pájaros están hechos para volar**, y los humanos no. Las alas de un pájaro volador son muy grandes en comparación con su cuerpo para darle la máxima capacidad de elevación. Además, los huesos de los pájaros tienen muchos espacios huecos, lo que hace que sus cuerpos sean muy ligeros para su tamaño. Por último, la caja torácica de un pájaro está llena de músculos de vuelo grandes y fuertes para controlar e impulsar sus alas.

El nuevo Ícaro. Jean-Jacques Grandville, 1840

Los humanos no tenemos nada de eso, así que nunca hemos podido echar a volar con un mero aleteo. En su lugar utilizamos el cerebro para inventar los aviones. Naturalmente, **algunas aves no pueden volar**, como por ejemplo los pingüinos, los avestruces y el kakapo, un loro de Nueva Zelanda. Estas aves suelen ser más pesadas y tienen alas pequeñas.

¿CÓMO HACEN LOS COLIBRÍES PARA «FLOTAR» EN EL AIRE?

Los colibríes son unos pequeños pájaros oriundos de América. Sorprendentemente, pueden permanecer totalmente inmóviles en el aire, como un helicóptero, para clavar su pico en las flores y beber el dulce néctar que hay en su interior. Sus alas baten muy deprisa para mantenerlos quietos, pero ¿cómo lo consiguen? El secreto es que, cuando un colibrí se cierne sobre una flor, sus alas no solo aletean arriba y abajo, sino que lo hacen dibujando una figura de 8 posiciones, lo que significa que empujan igual en todas direcciones, y el cuerpo del pájaro permanece completamente inmóvil.

Fases del vuelo de un colibrí

¡BZZZZZZZZZZZZZZ!

Sabes cuándo hay una mosca, una abeja o una avispa en la habitación por el característico zumbido que producen. Si es un mosquito, en cambio, escucharás un ruido chirriante y agudo. Los insectos producen los zumbidos al batir sus alas varias veces por segundo. Las alas de una mosca doméstica baten arriba y abajo unas 200 veces por segundo, y esto da lugar a un zumbido más amortiguado. Las alas de un mosquito baten más deprisa, unas 600 veces por segundo. Cuanto más rápido es el aleteo, más fuerte es el zumbido.

Secuencia de una mosca alzando el vuelo

Los únicos animales que realmente pueden volar son los pájaros, los insectos y los murciélagos. Aunque puede que alguna vez hayas divisado a otros animales pasar zumbando por el aire, como serpientes, ardillas, ranas, lagartos y peces. En realidad estos animales son planeadores. No pueden aletear hacia arriba ni recorrer mucha distancia volando, pero pueden extender sus aletas, pies, cuerpos o alerones de piel fina para realizar breves trayectos deslizándose después de despegar dando un gran salto. Algunos, como el petauro del azúcar, pueden recorrer hasta 200 metros planeando.

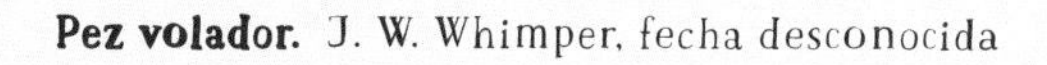
Pez volador. J. W. Whimper, fecha desconocida

¿QUÉ significa GUAU?

IMAGINA que de repente tu perro se volviera hacia ti y te dijera «¡Vamos a dar un paseo!»

Los perros **no pueden hablar** igual que hacen los humanos. Como la mayoría del resto de animales, sus **gargantas y bocas** no tienen ni la forma ni las partes adecuadas para emitir todos los sonidos que podemos hacer los humanos.

Pero los perros **pueden** comunicar o **compartir información** contigo y entre ellos. A menudo

Rita, la alsaciana capaz de contar

quien tiene un perro es capaz de entender sus **expresiones faciales**, que pueden indicar que está excitado o asustado, por ejemplo. Los perros también pueden utilizar los ruidos, como **gemir, ladrar o gruñir** para decir cosas como «Tengo hambre», «Hola, ¿quién es?» o «¡No te acerques!», y cuando **menean la cola** significa que están contentos.

Los perros emplean métodos similares para **comunicarse entre ellos** y mostrar que son amables, curiosos o que están enfadados. Y la mayoría de los demás animales también tienen sistemas para «hablar» entre ellos.

Si hay un animal que puede expresarse con palabras es el loro. En estado silvestre, viven en grupos y aprenden a producir sonidos distintos copiando a otros loros. Si lo tienes en casa como mascota, un loro hará lo mismo y repetirá los ruidos que escuche, como por ejemplo las personas hablando.

Los loros tienen una lengua grande que pueden mover y colocar en distintas posiciones para imitar los sonidos de las palabras humanas. Pero, ¿acaso los loros entienden lo que dicen? No siempre. Sin embargo, un loro de nombre Alex aprendió el significado de 100 palabras y podía pedir las cosas que quería: «Alex quiere una galleta».

Loro nuquiamarillo hablando en un zoo

Si necesitas decirle algo a alguien pero no se encuentra cerca, puedes escribirle una nota o enviarle un mensaje de texto. Los animales no pueden hacerlo, pero sí que pueden enviar señales. Cuando una hormiga encuentra comida, deja un rastro de químicos perfumados para que otras hormigas lo sigan. Un tigre marca los límites de su territorio con pipí y caca para que los demás tigres capten el mensaje y no se acerquen.

Hormigas soldado dejando un rastro olfativo

¿PUEDEN CANTAR LAS BALLENAS?

Las ballenas son famosas por cantarse unas a otras emitiendo silbidos, chillidos y gruñidos. Las ballenas jorobadas macho lo hacen especialmente bien y levantan sus aletas frontales cuando quieren empezar a cantar. Es difícil saber exactamente lo que están diciendo, pero los científicos creen que las ballenas macho cantan para atraer a las hembras y aparearse con ellas. Probablemente sus cantos significan algo así como: «¡Escuuuucha que voz más boniiiiita teeeeeengo! Sería un mariiiiiido fantáaaaaaastico». Como los sonidos pueden recorrer una gran distancia bajo el agua, muchas hembras de la zona podrán escucharlos.

Ballena jorobada macho cantando bajo el agua

¿NUNCA SE OLVIDAN de las COSAS LOS ELEFANTES?

Hay un dicho popular que dice: «Tienes una memoria de elefante». Pero, ¿es verdad que los elefantes tienen una memoria tan prodigiosa?

Los elefantes son unos animales muy inteligentes, y pueden vivir hasta 70 años en estado salvaje. Para sobrevivir, tienen que aprender y recordar cosas, como los mejores lugares donde encontrar agua potable en la estación seca. Los elefantes viven en grupos familiares liderados por la hembra más vieja, llamada la matriarca.

¿CÓMO saben estos elefantes adónde tienen que ir?

Los científicos han descubierto que cuanto mayor es la hembra, más posibilidades tiene su grupo de sobrevivir. La razón es que ha aprendido y se acuerda de más cosas útiles.

Los elefantes también pueden acordarse de otros ejemplares. Conocen a todos los elefantes de su propio grupo y también reconocen y saludan a los elefantes que han visto antes. Lo mismo ocurre con sus cuidadores y adiestradores del zoo. Los elefantes se pondrán contentos al ver a un cuidador o dueño que haya sido amable con ellos en el pasado, aunque no le hayan visto durante años.

Grupo de elefantes. Jan Caspar Philips, 1727

CLASES PARA SER HUMANO

Algunos animales pueden ser adiestrados para hacer tareas bastante complejas y trabajar junto a los humanos. Las mascotas se pueden entrenar en casa y los loros pueden decir palabras. Pero el ejemplo más increíble es un bonobo, o chimpancé pigmeo, llamado Kanzi. Creció en cautividad y ha aprendido varias habilidades humanas. Puede reconocer más de 200 palabras y utilizarlas señalando símbolos para cada palabra. También puede hacer fuego, jugar a videojuegos, picar piedra para hacer herramientas ¡e incluso cocinar cosas básicas!

Perro aprendiendo a surfear

Hasta donde sabemos, los seres humanos somos los animales más inteligentes. Otros animales estrechamente relacionados con nosotros, como los chimpancés, también son muy listos y tienen el cerebro grande. Pero hay varias especies que obtienen buenos resultados en los tests de inteligencia y pueden hacer cosas como resolver rompecabezas o fabricar y utilizar herramientas. No todos son de la familia de los simios, ni siquiera todos son mamíferos. Entre ellos están los pulpos, los cuervos, los delfines y las orcas, los elefantes, los perros, las ardillas y los cerdos.

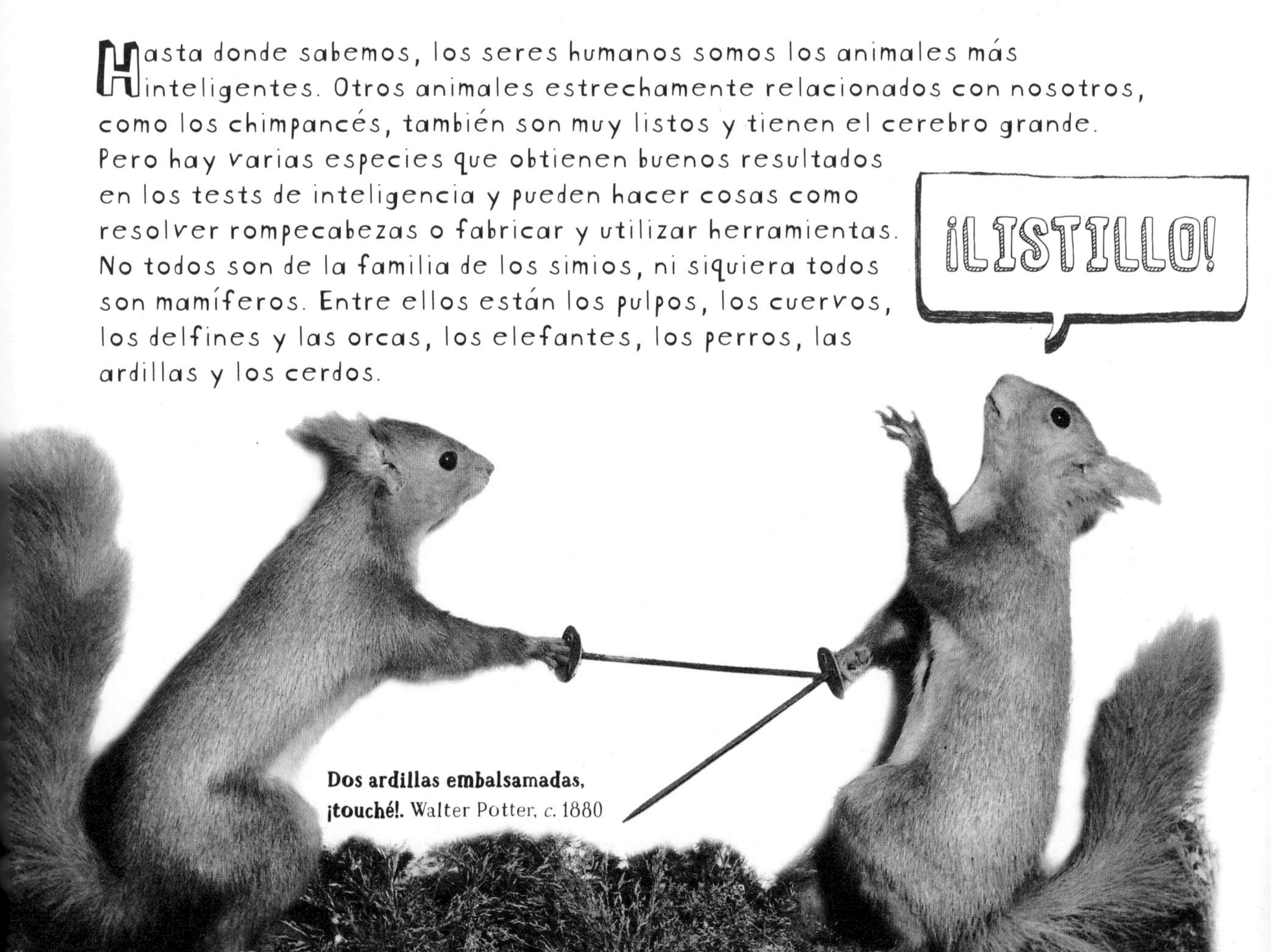

Dos ardillas embalsamadas, ¡touché!. Walter Potter, *c.* 1880

¿PUEDEN INVENTARSE COSAS LOS ANIMALES?

Se ha observado a los animales inventando nuevas maneras de hacer las cosas. En Japón, una hembra de macaco (una especie de mono) empezó a sumergir las patatas silvestres en el mar, ya que el agua salada las hacía más sabrosas. ¡Todos los demás se copiaron de ella! Un grupo de delfines inventó una manera de proteger sus hocicos de los afilados corales al cazar sujetando esponjas de mar entre sus bocas. Y algunos cuervos han descubierto la manera de lanzar migas de pan al agua para atraer a los peces y así poder atraparlos y comérselos.

Macaco lavando una patata

GLOSARIO

amenazado: en peligro de morir y extinguirse. Muchos animales salvajes están ahora amenazados.

asteroide: objeto espacial rocoso que orbita alrededor del Sol.

bacterias: grupo de seres vivos unicelulares minúsculos.

bioluminiscencia: luz que emiten algunos seres vivos como insectos, peces o calamares.

branquias: órganos respiratorios de los peces y algunos anfibios. Funcionan extrayendo oxígeno del agua.

cadena alimentaria: secuencia de organismos vivos en que cada uno es comido por el siguiente en la cadena.

calorías: unidades utilizadas para medir la energía, especialmente la cantidad de energía de la comida.

camuflaje: patrones o colores que ayudan a un ser vivo a ocultarse confundiéndose con su entorno.

carnívoro: animal que se alimenta de otros animales.

cría selectiva: selección y crianza de un grupo particular de seres vivos por sus valiosos atributos (facilitando su reproducción). Los granjeros recurren a ella para hacer que las especies salvajes sean más adecuadas para la cría.

depredador: animal que caza y come otros animales.

domesticación: amansar y criar animales para tenerlos como mascotas o animales de granja.

ecolocalización: detectar objetos y conocer el entorno emitiendo un sonido y escuchando los ecos que rebotan. Los murciélagos y los delfines utilizan la ecolocalización.

ecosistema: hábitat y seres vivos que viven en él. Las criaturas que hay en un ecosistema interaccionan y dependen unas de otras para sobrevivir.

especie: tipo individual de ser vivo. Los animales de la misma especie pueden reproducirse y tener crías que también pertenecen a esa misma especie.

evolución: una serie de cambios en los seres vivos que permiten a las especies adaptarse a su entorno y a las nuevas especies desarrollarse.

extinguido: que ya no existe. Cuando una especie se ha extinguido significa que no queda ningún miembro de esa especie vivo.

hábitat: el hogar o el entorno natural de un ser vivo. Los animales están bien adaptados para sobrevivir en sus hábitats naturales.

herbívoro: animal que se alimenta de plantas.

hibernar: pasar el invierno en un estado de letargo para ahorrar energía. Algunos animales hibernantes no comen durante varios meses.

instinto: conducta automática e innata de un animal, que no se le tiene que enseñar. Por ejemplo, muchos pájaros tienen el instinto de construir un nido para sus huevos.

invertebrado: animal que no tiene columna vertebral, como un gusano, un pulpo o un insecto.

mineral: sustancia pura, inorgánica, que se encuentra en la naturaleza, como hierro, diamante, sal o cuarzo.

néctar: líquido dulce producido dentro de las flores para atraer a los insectos.

nicho: una función o manera particular de sobrevivir dentro de un ecosistema. Todas las especies animales evolucionan para llenar un nicho.

nocturno: activo especialmente durante la noche. Los animales nocturnos descansan o duermen durante el día.

omnívoro: animal que se alimenta de una variedad de alimentos, incluidas plantas y otros animales.

oxígeno: gas que se encuentra en el aire y en el agua y que los animales necesitan respirar para sobrevivir. Las células corporales de los animales utilizan el oxígeno para convertir los alimentos en energía.

paralizar: impedir que un ser vivo mueva su cuerpo.

plancton: mezcla de distintos tipos de plantas y animales diminutos que flotan en el agua. Generalmente el plancton sirve de alimento para los animales acuáticos como peces y ballenas.

prehistórico: de la época anterior a que la historia fuera registrada por primera vez. Entre los animales prehistóricos están los dinosaurios y los tigres dientes de sable.

presa: animal cazado y comido por otro animal.

queratina: sustancia que se encuentra en el cuerpo de muchos animales. Sirve para desarrollar partes del cuerpo como pelo, uñas, garras, plumas y pezuñas.

regurgitar: devolver a la boca los alimentos ingeridos. Algunos animales lo hacen para alimentar a sus crías.

retina: capa de células del interior del globo ocular que puede detectar la luz y enviar información al cerebro.

vapor de agua: agua en forma de gas. Se encuentra en el aire y en el aliento que exhalan los animales.

veneno: sustancia tóxica o dolorosa que inyecta un animal a su presa o a un enemigo, por ejemplo mordiéndolo o picándolo. Muchas serpientes, arañas y escorpiones son venenosos.

vertebrado: animal que tiene columna vertebral, como un pez, un ave o un humano.

ÍNDICE ALFABÉTICO

LISTA DE ILUSTRACIONES

IMAGINA Librooks

Publicado con el acuerdo de Thames & Hudson Ltd, Londres
Why Don't Fish Drown? © 2017 Thames & Hudson Ltd, Londres

Primera edición en castellano publicada en 2017 por Librooks Barcelona, S.L.

LIBROOKS BARCELONA, S.L.
Riego 13 - 08014 Barcelona
Tel. +34 930 110 110
info@librooks.es
www.librooks.es

Textos de Susie Hodge
Ilustraciones originales de Claire Goble

ISBN: 978-84-946668-5-8
Depósito legal: DL B 9702-2017